무지개 한 스푼

무지개 한 스푼

김도경

오지연

박세리

강민정

지수

강윤정

문승현

이하루

나우리

권혜원

글Egᴀ

여러분은 주로 어떤 책들을 보시나요? 언제, 어디서, 또 어떤 상황에서 그 책들을 보게 되시나요?

저는 다양한 분야와 장르의 책들을 여기저기 쟁여두고 상황이나 기분에 따라 손이 가는 책을 읽곤 합니다. 마음이 힘들 때는 나를 다독여주는 힐링서, 지적 욕구가 하늘을 찌를 때는 나를 똑똑하게 만들어 줄 거라 믿는 교양서, 아무 생각 없이 그저 키득거리며 웃고 싶을 때는 유일 불변 나의 최애 만화책, 고단한 현실을 벗어나 머나먼 세계로 줄행랑치고 싶을 때는 순간적 시공간 이동이 가능한 판타지 소설을. 이처럼 다양한 가짓수로 잘 차려낸 뷔페에서 구미에 맞게 요리를 골라 먹듯 그때그때 하나씩 책장에서 꺼내어, 때로는 잘근잘근 씹어가며, 때로는 후루룩 흡입하며, 때로는 찬찬히 음미하며 읽어 봅니다. 아이들도 어쩌면 때에 따른 기분이나 상황에 맞춰 읽고 싶은 이야기가 달라지지 않을까요?

학교에서 돌아와 아무도 없는 빈집에서 갑자기 외로움이 몰려든다면 외로운 어린 도마뱀과 함께 여행을 떠나보고요(〈사막에서 장미를 만난다면〉), 엄마에게 화가 나 내 감정을 어찌해야 할지 모를 때는 어린 초희의 마음속 소용돌이를 찬찬히 들여다보아요(〈잔디맨〉).

너무 따분하고 지루해 하품이 그치지 않는 날, 엄마 몰래 같이 말썽 피울 친구가 필요하다면 시금털털 발가락 형제들의 얼토당토않은 이야기를 실감 나는 목소리로 읽어 보고요(〈요리는 이제 그만! 까락까락스!〉), 갑자기 터져 나온 방귀에 코를 틀어막다가, 엉뚱하게도 방귀를 잘 뀌는 방법이 갑자기 궁금해진다면 방귀 박사 봉구의 이야기에 귀를 기울여 보세요(〈방귀 박사〉).

난 왜 이렇게 자신감이 없지? 조금은 고민이 된다면, 크림빵으로 자신감을 키워나가는 귀여운 정민이의 이야기를 옆자리에서 가만히 지켜보고요(〈빵빠레〉), 한 번쯤 엄마 눈을 피해 딴짓을 해보고픈 마음이 든다면 16살 은채의 소소하지만 가슴 졸이는 이야기를 함께 두근거리며 응원해 주세요(〈일탈 35km〉). 사랑하는 가족과 영원히 헤어진다면? 떠올리고 싶진 않지만, 한 번쯤 책으로라도 마주하겠다면, 밤하늘 달님이 된 루나의 여정을 따라가 보세요(〈아기 달님의 보물찾기〉).

세상에서 가장 공포스러웠던 주사가 알고 보니 별거 아니네? 배탈 난 하루는 어떻게 두려움을 이겨냈을까요? 누구나 알고 싶은 주사 공포 극복기가 궁금하다면 하루에게 물어보세요(〈배탈 난 하루〉). 가족처럼 정들었던 반려동물과의 이별은 가족을 잃은 것만큼이나 마음 아픈 일이죠. 소중한 반려동물을 잃어 슬픔에 젖어 있다면 가족들과 하늘에서 만나 다시 서로의 행복이 되어주는 아롱이의 이야기를 들어 보세요(〈하늘 정류장〉). 나를 자꾸 귀찮게 하는 친구가 있나요? 그 애 때문에 내 기분이 널뛰기를 반복하나요? 이럴 때 필요한 건 과연 무엇일까요? 그걸 알고 싶다면 달콤한 사탕과 젤리가 가득한 마음 슈퍼로 오세요(〈마음 슈퍼〉).

여러분을 까르르 웃게 하고, 끄덕끄덕 공감을 주고, 또 여러분의 등을 토닥토닥 다독여줄 10편의 반짝반짝 빛나는 동화의 세계로 어서 빨리 오세요!

- 공동저자 中 박세리

차 례

사막에서 장미를 만난다면

김도경

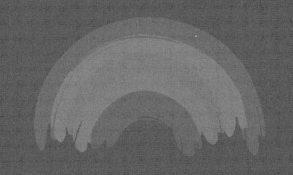

김도경 　올해 4살이 된 아이의 고모. 흥미로운 이야기를 만들어 그 이야기를 가지고 조카와 많
은 대화를 나누고 싶은 고모의 청사진. 물론 조카는 아직 가,나,다도 못 읽지만. 하여
튼 그날을 꿈꾸는중.

내가 왜 그런 무모한 행동을 했었는지 설명하려면 당시의 내 처지를 먼저 알려주어야 한다. 그때 나는 태어난 지 일 년이 겨우 넘은 작은 도마뱀이었다. 거대한 태양은 지글지글 사막의 모래를 끓이고 있었고 나는 그 모래 위를 기다시피 걷고 있었다. 숨을 들이마실 때마다 폐 속 깊게까지 뜨거운 공기가 거세게 들어왔고 열기를 잔뜩 머금은 모래바람은 내 피부 숨구멍을 하나씩 막아가고 있었다. 몇 주째 내가 먹은 거라곤 작은 거미 한 마리가 전부였다.

"아빠는 그동안 혼자서 내 것까지 먹이를 구해오느라 얼마나 힘들었을까?"

아빠가 그 큰손으로 나에게 덥석 집어주던 먹이들이 떠올랐다. 나는 결국 바닥에 완전히 누워버렸다. 잔뜩 달궈진 모래 알갱이들은 내 얼굴과 배, 팔다리를 녹일 듯이 뜨거웠고 등은 피할 수 없는 태양 빛에 쩌적 갈라지고 있었다.

"이대로 잠이 들었다가 일어나면 원래대로 돌아갈 수 있을 것 같아."

나는 몇 주 전 이 악몽이 시작되었던 날을 떠올리지 않을 수 없었다.

그날은 친구들과 했던 '누가 가장 높은 곳까지 뛰나!' 시합에서 내가 마침내 2등을 했던 날이었다. 1등 하는 애는 항상 정해져 있었기 때문에 내 목표는 늘 2등이었다.

해가 질 무렵, 나를 포함한 마을에 남아있던 도마뱀들은 먹이를 구하러 간 무리(우리는 이 무리를 먹잇길 무리라고 부른다.)를 기다리며 마을 어귀에 옹기종기 모여 있었다. 오늘은 새로운 먹이터에 간다고 하더니 돌아오는 시간이 평소보다 조금 늦어지고 있었다.

'내가 2등을 했다는 사실을 알면 아빠가 크게 함박웃음 지어줄 거야!'

아빠가 나를 번쩍 들어 안아주는 모습을 상상하며 신이 나 발을 동동 굴렀다. 마침내 높다리 바위 옆으로 먹잇길 무리가 돌아오는 모습이 보였다.

'어서 빨리 아빠를 찾아내서 한달음에 달려가야지!'

나의 눈은 무리 속을 거침없이 헤집었다. 그런데 아무리 찾아봐도 아빠가 보이지 않았다. 게다가 오늘따라 이상하게도 마을로 들어오는 먹잇길 무리가 하나같이 나를 흘끔흘끔 쳐다보았다. 예전에도 딱 한 번 이런 적이 있었다. 그날은 엄마가 안 보였던 날이었다.

"아르야."

나를 부르는 대장 도마뱀의 목소리는 모래바람을 오래 맞은 탓인지 건조하고 갈라져 있었다.

"아빠가 몽구스와 인사를 하셨다."

몽구스와 인사를 했다는 말은 아빠가 몽구스와 마주쳤다는 말이었다. 그 말은 아빠가 몽구스에게 사냥당했다는 뜻이었다. 아빠가 죽었다. 대장 도마뱀은 아빠와 똑 닮은 무늬가 있는 내 등에 손을 얹었다. 다른 도마뱀들도 하나, 둘씩 아빠를 추모하는 의미로 내 등에 손을 얹었다.

대장 도마뱀이 아빠가 남기고 간 먹이 주머니를 나에게 건네주었다. 먹이 주머니에는 작은 거미가 세 마리가 들어있었다. 나 혼자서 하루면 다 먹을 양의 먹이였다.

'아빠의 먹이 주머니는 늘 꽉 차 있었는데….'

멍하니 서 있는 나를 뒤로 한 채 다른 도마뱀들은 각자의 집으로 흩어졌다. 다른 도마뱀들의 먹이 주머니가 평소보다 두둑해 보였다.

그날의 기억에 잠겨있던 내 귀에 다급한 목소리가 들렸다.

"인간이다!!"

"인간이다! 피해!!"

다른 도마뱀들도 그 소리를 복창하며 주변 도마뱀들에게 알렸다. 인간…! 내 심장이 쿵쾅거렸다. 주저앉아 있던 팔을 간신히 일으켜 세웠지만 눈이 떠지지 않았다. 눈꺼풀이 메말라 서로 붙은 것 같았다. 나는 인간, 그 변덕스러운 동물들을 처음 본 날이 생각났다.

내 몸집의 수천 배는 되어 보이는 거대한 동물들이 사막을 줄지어 걷고 있었다. 그 거대한 동물들은 등에 커다란 혹을 짊어지고 있었다. 처음엔 혹이 몇 개나 되는 줄 알았는데 자세히 보니 한 개는 혹이 아니고 다른 동물이었다. 아빠는 그 다른 동물을 가리키며 말했다.

"아르야, 보이니? 저게 바로 인간이란다."

"인간…?"

나는 그 경이로운 행렬에서 눈을 떼지 못하고 되물었다. 벌어진 입이 다물어지지 않았다. 나를 가만히 쳐다보던 아빠는 다시 말을 이었다.

"그래, 인간. 인간은 정말 이상하고 변덕스러운 동물이야. 대게는 그냥 지나가는 데 어떤 날은 그냥 우두커니 우리가 사는 모습을 유심히 쳐다보기도 해. 또 어떤 날은 자기들 눈에 띄는 모든 걸 다 가져가기도 한단다. 개미나 거미, 몽구스나 뱀, 선인장 또 우리 도마뱀들까지도. 모든 걸 다…."

내 어깨에 얹어져 있던 아빠의 손이 강하게 쥐어졌다.

"인간 눈에는 띄지 않는 게 좋아. 만에 하나라도 만나게 된다면 가장 가까이 있는 바위틈으로 최대한 깊숙하게 숨어야 해. 저 팔이 닿을 수 없게끔. 아주 깊게 말이야."

나는 고개를 끄덕였다. 하지만 여전히 행렬에서 눈을 떼지는 못하고 있었다.

그날 이후로 나는 인간들이 마을 근처를 지나갈 때마다 하던 일을 멈추고 높은 바위 위로 올라가서 그들을 구경했다. 아빠는 내가 인간에게 관심 두는 걸 좋아하지 않았다. 그래서 아빠가 먹이터에 갔을 때만 몰래 보곤 했다.

인간들은 그 거대한 동물들하고만 지나가는 건 아니었다. 다른 동물들을 데리고 오거나 가끔은 이상한 상자를 타고 움직였다. 그 상자 안에서 인간이 나오는 걸 보지 못했더라면 나는 그 안에 인간이 들어있는 줄도 몰랐을 것 같다. 아빠 말대로 인간은 이상하고 변덕스럽긴 한 것 같았다.

나는 숨을 헐떡거리면서도 몸을 일으킨 채로 버텼다.

'아빠가 안다면 크게 혼냈겠지. 그렇지만 이렇게나 가까이서 느낄 수 있다니…. 직접 볼 수까지 있다면 얼마나 좋을까.'

눈으로 볼 순 없었지만, 점차 커지는 땅의 진동으로 행렬이 점점 더 가까워지고 있다는 걸 느낄 수 있었다. 땅의 울림이 점점 커져서 내 몸이 뜰썩거릴 정도까지 되자 갑자기 그 울림이 멈췄다.

몸이 공중으로 붕 뜨는 느낌이 나면서 내 몸에 시원한 물이 뿌려졌다. 모래처럼 바싹 말랐던 내 몸이 촉촉해지면서 눈이 조금 뜨여졌다.

나는 작은 인간의 손바닥 위에 있었다. 작은 인간은 나를 바위 그늘로 살포시 내려놓았다. 그리고 마른 애벌레 5마리를 내 앞에 두었다. 나는 덜덜 떨리는 손을 간신히 뻗어 벌레를 집었다. 내 모습을 지켜보던 작은 인간은 품 안에 있던 주머니에서 애벌레를 더 꺼내 주었다. 주머니를 뒤집어 툭툭 쳐내 가루까지 모조리 떨어뜨렸다. 작은 인간은 나의 등을 쓰다듬고 행렬로 돌아갔다. 그때 작은 인간의 품에서 빨간 꽃잎이 한 장 떨어졌고 그 꽃잎은 나풀나풀 나비처럼 춤을 추며 내 머리 위로 얹어졌다.

빨간 꽃잎은 촉촉하고 보드라웠다. 이전에 맡아보지 못한 황홀한 향기까지 은은하게 퍼지고 있었다. 인간이 가지고 있던 새로운 식물이라는 사실에 다른 도마뱀들도 처음엔 호기심을 가졌지만, 도통한 입도 주지 않는 나의 철통보완에 그들의 흥미는 쉽게 사라졌다. 시간이 지나면서 꽃잎은 사막의 모래처럼 딱딱하게 굳었고 그 향기조차 없어졌다. 하지만 나는 여전히 꽃잎을 만지작거렸다. 그러면 그날의 기억이 떠올랐다. 온몸 구석구석으로 물이 퍼졌던 시원함과 바닥에 흩뿌려진 애벌레 가루까지 모두 다 찾아 먹었던 간절함. 그리고 등을 쓰다듬는 작은 인간의 손길. 그 손길은 아빠에 대한 추모가 아닌 살아있는 나를 위한 것이었다. 나는 인간행렬의 진동이 느껴질 때마다 가장 높은 바위로 올라가서 목을 빼고 기다렸다. 혹시나 작은 인간이 나를 알아봐 주지 않을까. 하지만 집으로 돌아오는 발걸음은 매번 아쉬웠다.

그날 저녁에도 나는 꽃잎을 만지작거리며 집 앞에 앉아서 혹시나 지나갈지도 모르는 인간의 행렬을 기다리고 있었다.

"아르야"

소리가 나는 곳으로 고개를 돌리니 대장 도마뱀이 서 있었다. 나를 보고 손을 살짝 들어 인사를 하는 대장 도마뱀의 팔에 다부진 근

육이 보였다. 아빠가 계실 때는 종종 우리 집에 찾아온 적이 있었지만 내가 혼자된 후로는 처음이었다.

"요즘은 먹이를 잘 구하는 것 같아서 다행이더구나."

나는 고개를 끄덕였다.

"아빠가 먹이를 잘 구하셔서 도움을 많이 받았었는데…. 아르도 언젠간 그런 실력이 되면 아빠가 참 기뻐하실 거다."

대장 도마뱀은 내 어깨를 툭툭 치며 말했다. 내가 그런 실력이 되는 건 무리였기 때문에 이번에는 고개를 끄덕이지 않았다.

대장 도마뱀은 큼큼하고 목소리를 가다듬었다. 서글서글 웃고 있던 입꼬리가 내려갔다.

"한 가지 당부해야 할 것이 있는데…."

대장 도마뱀의 눈빛이 너무 강하게 쏘아지는 바람에 내 눈은 허공을 맴돌았다.

"인간들이 지나갈 때는 바위틈에 숨도록 하렴. 알겠니?"

나는 인간이라는 말에 대장 도마뱀을 쳐다봤다. 대장 도마뱀의 눈은 흔들림이 없었다.

"위험한 일이야. 네가 매번 바위로 올라가서 인간행렬을 보는 걸 봤다. 왜 그러는지는 대충 알 것 같긴 하다 마는…."

나는 대장의 말을 하는 중에 끼어들었다.

"저는 찾고 싶은 게 있어요!"

대장 도마뱀은 고개를 끄덕이며 내 어깨를 또 툭툭 쳤다.

"그래, 알다마다. 그 이야기를 아빠가 너에게 할 줄은 몰랐는데…. 그때는 아직 내가 대장을 한 지 얼마 안 되었을 때여서….”

대장 도마뱀은 말끝을 흐렸다.

“앞으로는 그런 일이 절대 없도록 하마. 그러니 더 이상 모두를 위험에 빠뜨릴 수 있는 행동은 하지 말아 주면 좋겠구나.”

나는 대장 도마뱀의 말을 이해할 수 없었다. 그래서 대답 없이 의아하다는 표정으로 대장 도마뱀을 쳐다보고만 있었다. 대장 도마뱀은 한숨을 내쉬었다.

“아르야. 이런 말을 하기엔 나도 마음이 아프다만….”

대장 도마뱀의 눈썹은 휘어졌다. 화를 내는 표정인지 슬퍼하는 표정인지 알 수 없었다. 말꼬리를 길게 늘이던 대장 도마뱀은 말을 이었다.

“이미 엄마는 안 계실 수도 있어. 인간이 데려갔던 건 너무 오래 전 일이야.”

뭐? 인간이 엄마를 데려갔다고? 대장 도마뱀은 내 어깨를 다시 한번 툭툭 치고는 먹잇길 계획 회의를 하러 내려갔다. 나는 그동안 엄마가 먹이터에서 사냥당한 줄로만 알았다. 아빠는 엄마의 죽음에 대해서 나에게 아무것도 해준 말이 없었다.

“그러고 보니…!”

갑자기 떠오르는 물건이 있었다. 왜 이제껏 그 물건을 잊고 있었을까. 나는 집으로 뛰어 들어갔다. 그리고 엄마의 보관함을 열었다. 그곳에는 엄마가 남긴 물건들이 담겨 있었다.

“있다!”

나는 상자 안에 보관되어 있던 빨간 조각을 꺼내 들었다. 아빠가 몇 번인가 그 조각을 꺼내던 모습이 기억났다. 나는 내 품에 가지고 있던 마른 꽃잎을 꺼냈다. 보관함에 있던 빨간 조각과 내가 가지고 있는 빨간 꽃잎은 똑같이 생겼다.

"이게 왜 엄마의 보관함에 있는 거지?"

나는 아빠가 이 빨간 조각에 대해 말했던 적이 있었나 기억을 되짚었다. 그러나 내가 그 조각에 관해 물어봤을 때 아무 말 없이 내 머리를 쓰다듬던 아빠의 모습만 떠올랐다. 나는 다른 단서를 찾기 위해 엄마의 보관함을 뒤져 봤지만 별다르게 연결될 만한 것들은 없었다. 새로운 단서 없이 두 개의 빨간 조각을 손에 쥔 내 생각은 꼬리에 꼬리를 물고 물었다.

생각 1. 아빠가 나에게 설명해 주지 못할만한 엄마의 물건은 무엇일까?

→ 아빠는 엄마의 마지막에 대한 말을 나에게 단 한 번도 한 적이 없었다.

→ 이 빨간 조각은 엄마의 마지막과 관련 있다.

생각 2. 이 조각은 인간이 엄마를 데려갈 때 생긴 걸까?

→ 그러면 엄마가 데려간 인간이 그 작은 인간일 수도 있겠구나.

→ 그 작은 인간이 엄마를 데려간 거라면 엄마도 살아 있을 수 있겠다.

터무니없는 소리로 들릴지도 모르겠다. 하지만 당시의 나는 고작해야 도마뱀 마을과 먹이터를 왔다 갔다 한 게 세상의 전부였던 어린 도마뱀이었다. 게다가 나에게는 그 꽃잎이 마치 캄캄한 밤하늘에 떠있는 북극성 같았다. 길을 잃었을 때 북극성을 의심할 사람이

얼마나 있겠는가. 앞으로 나아갈 아무런 방향도, 길도 보이지 않을 때 그 작은 꽃잎 조각이 가진 지표로서의 의미는 대단했다.

"그게 무슨 소리냐. 아르야."

마을을 떠나겠다는 내 말을 들은 대장 도마뱀의 표정은 마치 느닷없이 누가 물을 뿌려 놀란 얼굴 같았다.

"엄마의 보관함에도 이 꽃잎이 있더라고요."

나는 내 품에 지니고 있던 꽃잎을 들어 보이며 말했다.

마을 어른들에게 엄마의 마지막을 물어보고 다녔지만 다들 아는 게 없다고 하거나 먹이터에서 사고를 당했다고 했다. 엄마가 인간에게 잡혀간 건 비밀인 것 같았다.

대장 도마뱀은 무슨 말인지 알겠다는 듯이 고개를 끄덕거렸다. 대장 도마뱀은 몸통 앞으로 팔짱 끼고는 한 손으로 자기 턱을 쓱쓱 쓰다듬었다.

"예전에도 한 도마뱀이 마을 밖을 나간 적이 있었단다. 그 도마뱀은 100번이 넘게 해와 달이 지고 나서야 마을로 돌아왔었는데도 인간의 마을을 봤다거나 하는 얘기는 없었어."

대장 도마뱀은 손가락으로 그 도마뱀이 나갔다던 방향을 가리키며 말했다. 나는 고개를 가로저으며 대답했다.

"인간 마을 방향이 아닌 쪽으로 가서 그랬을 거예요. 인간들은 늘 해가 뜨는 곳이나 지는 곳을 향하거든요."

나는 대장 도마뱀에게 내가 분석한 것들을 이야기해 주었다. 내가 그들을 관찰하니 행렬(나는 행렬이 오직 먹이를 구하기 위한 것으로 생각했다.)에 참여하는 인간들의 숫자가 우리 도마뱀 마을의 먹잇길 무리보다 적었다. 그렇다는 건 우리보다 먹이가 덜 필요하다는 것이고 그건 개체수도 우리보다 적다는 말이었다. 그래서 인간들이 모여 사는 곳만 알 수 있다면 내가 찾는 작은 인간은 금방 찾을 수 있을 거였다. 나의 얘기를 듣고 있던 대장 도마뱀은 끄음하고 짧은 신음을 내었다.

"나는 무리의 안전을 책임져야 하는 데 너를 이렇게 보내는 게 맞는지 모르겠지만…."

대장 도마뱀과 나의 이야기가 길어지면서 주변에 다른 도마뱀들이 많아졌다. 다들 무슨 일이 생긴 건지 궁금해하는 표정이었다. 도마뱀들이 모여들기 시작하자 대장은 서둘러 말했다.

"네 결정을 존중하마. 부디 안전한 여행이 되기를 바라마."

대장 도마뱀은 나의 어깨에 손을 올리며 축복의 기도문을 외워주었다. 다른 도마뱀들은 서로 쑥덕거리며 나를 곁눈질로 쳐다보며 자기네들끼리 얘기했다. 대장 도마뱀들은 내게 가까이 와서 나만 들릴 목소리로 속삭였다.

"엄마가 살아계시기를 기도하마."

뽈딱이는 또래에 비해 확실하게 몸집이 컸다. 그 덩치에 비해 행동은 매우 재빠르고 민첩했다. 그래서 나와 비슷한 시기에 태어났는데도 이미 한참 전부터 먹잇길 무리에 몇 번이나 참여했었다.

뽈딱이는 걸을 때 살짝 절뚝이며 걸었는데 오른쪽 뒷다리가 다른 다리들에 비해 왜소한 탓이었다. 언젠가 나갔던 먹이터에서 다리 안쪽 살을 뱀에게 물려 살점이 떨어지는 바람에 그렇게 되었다. 보통은 뱀을 맞닥뜨리게 되면 몸을 동그랗게 말고 방어 태세를 갖추는 다른 도마뱀들과 다르게 뽈딱이는 맞서 싸우고 공격했다. 제대로 걷지도 못하는 다리를 이끌고 무리로 돌아온 뽈딱이는 가슴을 쭈욱 펴며 말했다.

"그래도 그놈이 입을 쩌억 벌렸을 때 내가 허리를 잽싸게 돌려 꼬리로 그놈의 입 양옆을 후려쳤단 말이야. 그랬더니 그 쩍 벌렸던 입이 더 쫘악 찢어졌단 말이지. 그놈도 결국 내 살점을 목구멍으로 넘기진 못했다고."

무용담을 늘어놓는 뽈딱이의 눈은 밤하늘의 별을 박아 넣은 것처럼 반짝였다. 내가 대장 도마뱀에게 무리를 떠나겠다고 하는 모습을 지켜보던 때에도 뽈딱이의 눈은 빛나고 있었다.

"야! 재밌겠다. 나도 같이 가자."

나는 무리를 막 떠나려던 참에 뒤에서 외치는 뽈딱이의 목소리를 들었다. 뽈딱이는 성큼성큼 걸어오고 있었다.

나는 뽈딱이와 친하지는 않았다. 하지만 뽈딱이가 가지고 있는 대범함과 용기는 믿음직했기에 딱히 거절할 이유는 없었다. 그래서 뽈딱이가 가까이에 올 때까지 기다렸다가 함께 출발했다.

낮의 태양은 너무 많이 쐬면 숨통이 답답해져 온다. 나는 그 고통을 견디기 힘들어 낮에는 최대한 빨리 움직이고 그늘이 보이면 쉬길 원했다. 밤이 되면 추위가 찾아오는 탓에 해가 지기 전엔 쉴 곳을 찾는 것도 중요했다.

뽈딱이는 처음 보는 선인장이 있으면 원하는 정보를 모두 알아낼 때까지 발을 땅에 붙이고 움직이지 않았다. 바위가 보이면 그 꼭대기까지 올라갔다가 왔고 먹이를 잡을 때는 늘 새로운 방법을 시도했다. 또 시시때때로 게임을 제안했는데 누가 더 빨리 바위 위로 올라갈 수 있는지, 누가 먹이를 더 많이 잡아 오는지 하는 것들이었다. 나는 무시했지만, 뽈딱이는 자기 멋대로 게임을 시작했고 늘 자신의 승리를 자축했다. 지치는 기색도 없이 매번 눈을 반짝이며 벌써 해와 달이 10번도 넘게 바뀌는 동안 그런 행동들을 반복했다.

처음에 나는 시간 낭비를 하는 뽈딱이에게 무척 짜증이 났다. 그냥 혼자 길을 떠나고 싶었다. 그렇지만 시간이 지나면서 뽈딱이가 호기심을 가지고 주변을 탐색하는 덕분에 천적들의 공격으로부터 빨리 도망칠 수 있다는 걸 알게 되었다. 게다가 혼자 시작한 게임의 승리를 과하게 자축하는 뽈딱이를 보고 있자니 나도 점점 승부욕이 생기면서 어떻게 하면 이길 수 있을지 연구하기 시작했다. 덕분에 마을을 떠났던 날보다 나의 사냥 실력은 월등히 나아졌고 웬만한 밤의 추위는 견디면서 이동할 수 있는 체력을 갖게 되었다. 나는 뽈딱이와 함께 길을 나선 게 참 다행이었다.

20번을 해와 달이 더 바뀌고 나서야 뽈딱이와 나는 오아시스에 도착했다. 풀도 있고 먹이도 많았다. 물도 원하는 만큼 마실 수 있었다. 그러나 먹을 것이 풍부하니 그만큼 천적들도 많았다. 벌써 다섯 번이나 뱀에게 물릴 뻔했다. 그래서 나와 뿔딱이는 오아시스에서 조금 멀리 떨어진 곳에서 쉬기로 했다.

우리는 잔뜩 잡아 온 먹이를 배부르게 먹고는 각자의 시간을 보냈다. 나는 먹이 주머니에 뚫린 곳은 없나 살폈다. 아빠의 먹이 주머니는 여전히 튼튼했다. 아빠가 주머니를 만들 때 무척 꼼꼼하게 잘 만들었기 때문일 것이다.

'이곳에서 조금 더 쉬다 가면 좋겠지만 너무 위험해. 체력이 회복되는 대로 바로 출발하는 게 좋겠어.'

내가 생각 한 바를 뿔딱이에게 말해주려고 뿔딱이를 쳐다봤다. 뿔딱이는 먹이를 잔뜩 먹어 부른 배를 쓰다듬으며 만족스러운 얼굴로 누워있었다.

"여기서 그냥 사는 건 어때?"

뿔딱이가 먼저 말을 꺼냈다. 나와 뿔딱이의 눈은 정면으로 마주쳤다. 뿔딱이는 어깨를 으쓱해 보였다.

"먹이가 충분하잖아. 게다가 이곳에서는 매일매일 새로운 사냥 방법이나 공격 방법 같은 걸 연구할 수 있을 거야. 운이 좋으면 몽구스 사냥 방법까지 알지 않을까?"

뿔딱이는 누워있던 몸을 일으켜 세워서 앉으며 말했다.

"어때! 꽤 근사할 것 같지 않아? 언젠가는 내가 몽구스와 단판 승부를 내서 그 머리 위로 올라갈 수도 있지 않겠어? 그러면 이제 나는 그 몽구스를 조종하는 거지. 그래서 또 다른 몽구스를 사냥하고,

그러다 보면 언젠간 내가 몽구스의 우두머리가 될 수도 있는 거 같은데!"

뿔딱이는 벌써 신이 나 죽겠다는 듯이 발까지 동동 굴렀다. 나는 크게 한숨을 쉬며 말했다.

"우리는 도마뱀일 뿐이야. 네가 아무리 크다고 한들 도마뱀이라고. 게다가 한 번에 여러 마리를 상대해야 할 때는 어쩌려고."

뿔딱이는 한껏 더 신이 났는지 이번엔 손뼉까지 크게 치며 벌떡 일어났다.

"그러니까 너랑 내가 같이 해야지! 너는 재빠르니까 내가 상대하고 있는 동안 빈틈을 파고들면 되겠지. 아니면 뭐 또 다른 도마뱀이 우연히 오게 되면 그 도마뱀하고도….”

"잠깐 조용해 봐!"

신나게 말하고 있던 뿔딱이의 말을 내가 큰 소리로 잘라냈다. 땅에 진동이 느껴졌다. 나는 재빨리 근처 바위의 가장 높은 곳까지 올라갔다. 인간들이었다. 그들은 함께 있는 동물들의 목을 축이려고 오아시스로 온 모양이었다. 나는 작은 인간이 있는지 살펴보았다. 3명의 큰 인간들뿐이었다.

'지금 저들을 따라가면 인간들 마을에 손쉽게 갈 수 있지 않을까?'

인간들은 당장 떠날 생각이 없는지 자리를 잡고 앉았다. 나는 그들을 어떻게 따라가면 좋을지 궁리하고 있었다. 나를 따라 나온 뿔딱이는 나와 인간을 번갈아 쳐다보았다.

"어쩔 셈이야?"

"따라가려고. 저 주머니에 들어가면 되려나."

나는 인간과 함께 온 동물들이 등에 두르고 있는 주머니를 가리켰다.

"어떤 주머니로 들어갈까?"

나는 뽈딱이에게 물어봤다. 뽈딱이는 나를 이상한 표정으로 쳐다보고 있었다.

"저길 왜 들어가려는 거야?"

"왜긴. 저 들과 같이 가면 인간 마을에 도착할 테니까."

"너 정말로 인간 마을에 갈 생각이었어?"

"그게 무슨 소리야?"

"진짜로 그 꽃잎을 준 인간을 찾겠다는 거야?"

뽈딱이는 당황스럽다는 표정을 짓고 있었다. 그건 나도 마찬가지였다.

"처음부터 말했잖아. 그러려고 마을을 나선 거였고."

"아니 솔직히…."

뽈딱이는 말을 멈추었다가 이었다.

"아무리 신기했더라도 꽃잎은 그냥 꽃잎…. 아닌가?"

뽈딱이의 한마디에 내 마음이 쩍 갈라지는 것 같았다. 뽈딱이만큼은 내 마음을 이해하고 있는 줄 알았다. 내 착각이었다. 나는 우리가 이 여행을 끝까지 함께 하는 걸 당연하게 생각했다. 그렇지만 뽈딱이는 그저 마을을 떠나는 게 재밌어 보여서 나와 함께 했던 것뿐이었다.

나는 그동안 소중한 것을 늘 갑자기 잃었었다. 이번에는 뽈딱이를 내 마음속에서 완전히 잃기 전에 서로를 응원하며 헤어질 수 있었다. 나는 뽈딱이에게 작별 인사했다.

"그동안 고마웠어, 뽈딱아. 네 덕분에 많은 걸 배웠어."

"정말 가려는 거야? 혹시 내가 아까 '내가 몽구스를 상대하고 있는 동안 재빠르게 빈틈을 파고들라.'라고 했던 말 때문이야?"

나는 고개를 가로저었다.

"나는 너처럼 대결하는 것을 재밌어하거나 먹을 걸 중요하게 여기지 않아."

뽈딱이는 이해할 수 없다는 표정이었다. 이해할 수 없겠지. 너는 나를 이해할 수 없어. 뽈딱이는 아쉬워했지만 떠나는 짐을 챙기는 내 먹이 주머니를 단단하게 묶어주며 말했다.

"그래도 이제 못 먹고 다닐 걱정은 안 해도 되겠네!"

뽈딱이는 내 먹이 주머니를 툭툭 치며 웃었다.

나는 인간과 다른 동물들이 잠들어 있는 틈을 타 살금살금 주머니 안으로 들어갔다. 주머니 안에 있던 포근한 천으로 내 몸을 감싸 밤의 추위를 견뎌냈다.

갑자기 온몸이 공중으로 들썩이는 탓에 깜짝 놀라 잠에서 깼다. 무슨 일인가 주머니 밖으로 고개를 빼꼼 내밀었다가 엄청나게 빠른 동물의 속도를 못 이겨 떨어질 뻔했다. 나는 잠자코 흔들림이 멈추기를 기다렸다.

얼마나 시간이 지났을까. 주변이 갑자기 소란스러워지면서 주머니의 흔들림이 조금 잦아들고 있었다. 나는 주머니 밖으로 살짝 고개를 내밀었다.

작은 인간과 눈이 마주쳤다. 작은 인간은 나를 향해 한 걸음 오면서 뭐라고 소리쳤다. 그러자 옆에서 또 다른 작은 인간들이 나왔다.

"작은 인간은 하나가 아니었어."

충격을 받아 오도카니 멈춰 있는 나를 작은 인간 중 하나가 손으로 집었다. 어찌나 세게 집는지 비명이 나왔다. 작은 인간들은 자기네들끼리 나를 옮기면서 만져댔다.

달빛이 비치는 거리 바닥에 나를 두고 작은 인간들은 사라졌다. 온몸이 여기저기 아파 끙끙거리던 내 눈에 거리 바닥 틈 사이에 피어있는 빨간 꽃이 보였다. 나는 꽃이 있는 곳까지 기어갔다.

빨간 꽃 앞에서 품 안의 꽃잎 조각을 꺼냈다. 이제는 다 부스러져 아주 작은 조각들이 되어있었다. 나는 빨간 꽃 가까이에 꽃잎 조각을 가져다 대고 번갈아 쳐다보았다. 색깔이 확연하게 달랐다. 나의 꽃잎 조각이 마르기 전에 어떤 색깔이었는지 기억나지 않았다. 나는 살아있는 빨간 꽃을 한 입 먹어봤다. 풀내음이 가득하게 났다. 한참을 머뭇거리다가 내가 가지고 있던 꽃잎 조각을 조금 먹어보았다. 쓰고 비린 맛이 났다. 나는 남은 꽃잎 조각을 모두 입에 넣고 삼켜버렸다.

그 순간 새가 나를 낚아챘다. 순식간에 수직 상승으로 몸이 떠오르는 탓에 멀미가 났다. 정신을 차리고 보니 이미 땅은 저 멀리에 있었다. 나는 몸을 거세게 비틀어봤지만 전혀 풀릴 틈이 없었다. 새는 완벽하게 나를 꽉 잡고 있었다.

"결국 이렇게 끝나는 거구나."

나는 눈에 눈물이 잔뜩 고인 채로 입을 삐쭉거렸다. 눈을 깜빡 감았다가 뜨니 눈물이 투둑 하고 떨어졌다. 눈물은 한참을 아래로 떨어져 사라졌다.

당연한 얘기지만 나는 이렇게나 멀리 올라와서 보는 광경은 처음이었다. 커다란 바위도 조그맣게 보였다. 인간들이 사는 마을도 한눈에 다 보였다. 인간들의 마을은 내가 살던 도마뱀 마을과 비교할 수도 없이 컸다. 바위와 선인장이 드문드문 보였지만 사막은 온통 모래뿐이었다. 내 작은 발이 저 사막 위를 걷고 있었다니. 허탈한 웃음이 나왔다. 나는 그 작은 인간을 평생 찾을 수 없었을 것이다.

내가 이제 할 수 있는 일이라곤 새에게 잡힌 채로 사막의 풍경을 멍하니 바라보는 것밖에 없었다. 새는 앞으로 쭉쭉 날아가고 있었다.

"이 새는 원하는 건 뭐든 금방 찾을 수 있겠다."

나는 눈물이 콧물이 되어 코를 훌쩍였다. 오아시스에 남은 뽈딱이 생각이 났다.

"뽈딱이가 이 얘기를 듣는다면 이 새를 정복하겠다며 눈을 빛내겠지."

나는 뽈딱이가 가슴을 잔뜩 부풀리며 호언장담하는 모습이며 신이 나 발을 동동 구르는 모습이 상상되었다.

"픕!"

웃음이 나왔다. 새를 공격할 방법을 찾아내려고 연구하는 뽈딱이의 모습이 그려졌다. 그 모습에 매일 먹이터와 먹잇감에 관해 연구하던 대장 도마뱀의 모습이 겹쳐 보였다. 그리고 대장 도마뱀과 함께 얘기하면서도 나를 보고 웃어주던 아빠의 모습도 기억났다. 결국엔 새의 먹이가 되어버리다니. 아빠가 지금 내 모습을 보면 뭐라고 생각할까. 나를 잘 먹여 키우기 위해 최선을 다하셨었는데 허무하실까? 그건 너무 속상한 일이다. 나는 어디서 아빠가 듣기라도 하는 것처럼 그동안 있었던 일을 생각나는 대로 다 말했다.

"아빠. 이제 나는 혼자서 커다란 거미도 잡을 수 있고 선인장을 가시에 안 찔리고 먹는 방법도 알고 있어요. 맨날 1등 하던 뽈딱이 있죠? 그 애하고 좋은 친구가 되었어요. 게다가 이제는 제가 걔를 이기기도 한다니까요? 그리고…."

마을 안에서만 있었더라면 아마 평생 겪지 못할만한 일들도 많이 있었다. 마을을 떠나던 날, 나는 내가 가진 건 하나도 없다고 생각했다. 그래서 '내 편'이 되어줄 작은 인간을 찾고 엄마를 찾고 싶었다. 뽈딱이는 내 친구였지만 결국 내 편은 아니었다. 하지만…. 뽈딱이를 그렇게 말해도 될까?

나는 혼잣말을 하면서 나 혼자서 겪었던 일들도 다른 이들의 생각을 섞어 말하거나 혹은 그들처럼 말했다. 어떤 때에는 뽈딱이가 기세등등하게 말할 때처럼 했고, 어떤 것은 대장 도마뱀이 먹잇길 계획을 발표할 때처럼 세세하게 설명했다. 또 어떤 부분은 아빠가 나를 품에 안고 먹이터에서 있던 일을 말해주던 것처럼 다정하게 말했다.

'아…! 그렇구나!'

나는 마치 찌릿찌릿한 무언가가 내 몸을 관통한 것처럼 몸을 움찔했다. 새는 고개를 아래로 숙이고 나를 흘낏 쳐다봤다.

나는 이제까지 다른 누군가 혹은 무언가를 내 것으로 삼고 싶어했다. 그러다가 그러지 못한다는 것을 알았을 때 크게 실망하거나 좌절했다. 그런데 내게는 누가 빼앗아 갈 수도 없고 없앤다고 없어지지도 않는 것이 있었다. 물론 얻기 싫다고 해서 얻지 않을 수 있는 것도 아니었다. 그저 주어지는 것에 순응해야 하지만 그 어떤 것보다 나와 밀접하게 서서 나를 지탱해 주고 곁에 있어 주는 것이 있었다.

바로 내가 그동안 얻은 모든 경험이었다. 그건 나만 가지고 있는 것이었다. 그 경험들은 나의 세세한 부분까지 채우고 만들어 주고 있었다. 뽈딱이나 꽃잎은 내가 소유할 대상이 아니고 내 경험을, 나를 좀 더 풍부하게 만들어 주는 고마운 존재들이었다.

나를 온전히 이해해 주고 믿어줄 수 있는 건 '나'였다. 내 마음에 아주 작은 부분까지도 진정으로 이해해 줄 수 있는 건 나뿐이었다. 아아, 이제야 알았다. 나의 모든 걸 다 잃었다고 생각했던 순간에도 나는 새로운 걸 얻는 중이었다.

나는 새처럼 팔을 양쪽으로 쭈욱 폈다. 그리고 고개를 들어 정면을 보면서 마치 날고 있는 듯한 모양새를 취했다. 거센 바람이 얼굴을 스쳐 지나가는 게 느껴졌다. 저 멀리 또 다른 인간 마을이 보였다. 이번 마을은 커다란 오아시스를 주변으로 모여 있었다. 그 규모는 내가 상상할 수도 없는 크기였다.

"세상에. 저 정도로 큰 오아시스라니. 저곳에는 또 얼마나 많은 먹이와 얼마나 많은 천적이 있을까."

그때 저 멀리 맞은편에서 날아오는 새가 보였다. 맞은편에서 오던 새는 나를 쥐고 있는 새에게 싸움을 걸어왔다. 두 마리의 새는 나를 두고 엎치락뒤치락 싸우기 시작했다. 나는 공중에서 뱅글뱅글 몸통이 돌아가느라 정신을 차릴 수가 없었다. 새들의 싸움은 격렬했다. 결국 나를 쥐고 있던 새의 발톱이 펼쳐졌고 나는 땅으로 쿵. 이 아니고 풀썩 떨어졌다.

잔뜩 흔들린 머리가 제대로 돌아오기까지는 시간이 좀 걸렸다. 한참 만에 정신을 차린 나는 주변을 두리번거렸다. 생전 처음 보는 풀들이 가득했다. 나는 주위를 경계했지만, 주변엔 아무것도 없었다. 위를 쳐다보니 새들도 이미 사라지고 없었다.

여기저기 기웃거리다가 나의 발이 뚝 하고 멈춰 섰다. 향기가 났다. 작은 인간이 떨어뜨렸었던 그 꽃잎의 향기가. 달큼하면서도 코끝을 간질이는 향기는 내 몸속에서 팡하고 가루가 되어 터지는 것 같았다. 온몸이 부르르 떨렸다. 나는 향기를 따라 걸었다. 그리고 마침내. 빨간 꽃을 발견했다.

"아…."

입에서 감탄이 흘러나왔다.

"그래. 이 색깔이었어. 이 향기였어. 이 꽃잎이었어!"

나는 그 꽃 옆에 있는 커다란 식물을 타고 꽃송이가 있는 곳까지 한 걸음 한 걸음 올라갔다. 손을 뻗어 그 꽃잎을 만졌다. 보드라웠고 샘물을 간직한 느낌이었다. 향기를 맡았다. 꽃잎으로 가지고 있을 때보다 훨씬 더 진하고 깊은 향기였다. 기분 좋은 어지러움을 느꼈다. 나는 큰 잎사귀 위에 누워 그 꽃 바로 앞에 엎드렸다.

"그대로야. 내가 만났던 그날 그대로. 그동안 정말…."

목이 메었다. 힘들었던 순간들을 한꺼번에 위안받는 것 같았다. 나는 풀잎에 얼굴을 기대어 잠이 들었다.

잠이 깰락 말락 하는 그 순간은 종종 꿈같기도 하다. 누군가 나의 등을 부드럽게 쓰다듬었고, 나는 잠에 취해 몽롱한 상태로 고개를 들었다. 작은 인간이 환하게 웃고 있었고, 나에게 손을 들어 올려 보였다. 그 손등 위에는 다른 도마뱀이 올라앉아 있었다. 이게 꿈인가 현실인가 생각하며 잠을 못 이긴 눈꺼풀이 다시 감겼다.

잔디맨

오지연

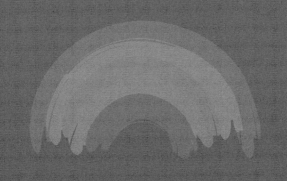

오지연　　태어나보니 타고난 은둔형 내향인. 자신감이 없어 혼자 속에 담아둔 많은 생각들을 꺼

내보고자 용기를 내고 있는 중입니다. 어렸을 때부터 어른이 된 현재까지도 책과 영화

등에서 보는 다양한 이야기들이 고맙게도 좋은 삶의 길라잡이가 되어 주고 있습니다.

나의 이야기도 자라나는 누군가에게 조금이라도 좋은 영향을 주기를 바랍니다.

"엄마는 왜 언니만 좋아해?"

순간 소리를 꽥 질러버렸다. 엄마는 늘 조용하고 얌전하던 내가 소리를 질러서 꽤나 놀란 표정이었다. 그럴 만도 했다. 나도 내 화난 목소리는 많이 들어본 적이 없던 터라 내 소리에 깜짝 놀라버렸다. 목이 얼얼하게 아플 정도로 소리를 질러버렸지만, 이상하리만치 속이 시원했다. 엄마가 인상을 찌푸리기 전까지는 말이다.

"강초희, 엄마한테 누가 그렇게 소리 지르래?"

낮은 저음의 목소리로 차분하게 엄마가 말했다. 큰.일.났.다. 엄마는 무시무시한 표정을 하고, 얼굴이 서서히 빨개지고 있었다. 분노 3단계! 그렇다. 오래전에 친구들에게 간식을 사 주기 위해 엄마의 지갑을 몰래 건드렸던 일 이후에는 오랜만에 보는 분노 3단계였다. 차분한 목소리를 하고 있지만, 절대 방심하면 안 된다. 순간 끓어오르는 화를 누르기 위해 엄청난 에너지를 쏟고 있는 게 틀림없었다. 엄마의 분노에는 3개의 단계가 있다. 1단계는 애교로 풀 수 있는 가벼운 단계, 2단계는 설거지와 내 방정리를 깨끗하게 하고 조심히 다가가 엄마에게 사과를 하면 풀리는 단계이다. 3단계는… 일단 지금 이 순간에는 그 무엇으로도 풀 수 없다. 엄마가 분노 3단계가 돼버리면, 내가 잘못한 것에 몇 배는 크게 혼이 나고, 엄마의 기분이 사그라져야 풀 수 있다. 끝에는 엄마가 오히려 나에게 미안해하지만, 그것은 엄마의 화가 풀리고 나서 얘기다. 그전까지는… 아, 상상하고도 싶지 않다.

"엄마 미워!"

그런 위기 상황에도 불구하고 나도 모르게 말이 튀어나왔다. 갑자기 눈이 뿌예지기 시작했다. 엄마랑 싸울 때는 정말 이상하게도 눈물부터 나버린다. 벌써 져버린 느낌에 속상했지만, 눈물은 멈출 수 없었다.

"언니만 예뻐하는 거 아니야? 왜 언니한테는 필요한 거 물어보면서 나한테는 안 물어봐? 왜 언니는 갖고 싶은 거 있으면 바로 사주면서, 나는 왜 시험 90점 이상이어야 사주는 건데!"

멈춰라, 강초희!라고 되뇌어 보았지만 한번 터진 입은 다시 다물어지지 않았다. 엄마는 황당한 표정으로 나를 빤히 쳐다보고 있었다.

"어머 얘 봐라. 강초희, 너 지금 무슨…"

"다 싫어!!"

주먹을 꽉 지고 악을 쓰며 엄마 말을 무 자르듯 잘라버렸다. 엄마가 제일 싫어하는 것이 말 자르기라는 것을 알고 있어 소리를 지른

후에 순간 엄마의 분노 단계가 올라갈까 무서웠지만, 무방비로 튀어나온 내 말을 막을 수는 없었다. 속에 돌들이 쌓인 듯 답답하고 무거웠다. 브레이크가 고장 난 것처럼 나는 멈출 수 없는 분노로 현관문을 쾅 닫고 도망치듯 엘리베이터를 타자마자 1층을 눌렀다. 엄마가 분노 3단계면, 나는 분노 4단계… 아니 10단계이다!

"끄윽…끄윽…휴…끄윽"

천천히 내려가는 엘리베이터 안에서 숨을 고르었다. 새어 나오는 울음소리와 함께 어깨가 함께 들썩였다. 그렇게 울어대다가 엘리베이터에 붙어있는 거울에 내 모습이 보였다. 허연 얼굴에 계속 액체가 흐르는 시뻘게진 눈과 코, 세상 서러운 듯이 내려간 양쪽 입꼬리, 헝클어진 검은 머리카락은 어깨에 닿을 듯 말듯한 위치에서 들썩이는 어깨와 함께 흔들리고 있었다. 거울은 내 키보다 위에 있어 딱 어깨선까지 내 얼굴이 보이고 있었다. '엉망'이라는 단어가 딱 어울리는 모양새였다.

'휴… 엄마는 나만 미워해! 언니랑만 살아라! 나는 내 인생 살 거야…'

혼잣말로 속에 담긴 말을 내뱉으니 아까보다는 속이 가벼워지는 기분이었다. 그렇게 집 밖으로 나왔다. 그렇다… 집에 폭탄을 터트리고, 밖으로 아무 준비도 없이 나와버렸다… 현재는 3월로 겨울처럼 춥지는 않지만 밤이라서 따뜻하지도 않았다. 걸친 옷이 없는 반팔 차림이니 몸이 으슬으슬 추워지는 느낌이 들었다.

'다시 들어갈까?'

안돼! 엄마에게 그렇게 화를 내본 적이 없어 엄마가 어떻게 반응할지도 무서웠다. 그리고 아직도 내 화가 가라앉지 않았다. 이대로 가면 나는 다시 엄마에게 화를 낼 것이다. 엄마가 미우면서도 미안한 복잡한 마음으로 정처 없이 걷다보니 찬바람이 볼에 닿는 느낌에 기분이 서서히 나아졌다. 밤길이 좀 무섭게 느껴졌지만, 하늘에 오른쪽 반만 빛나고 있는 상현달이 든든한 경호원처럼 따라와 주어 용기가 났다.

정신을 차려보니 내가 다니고 있는 잔디초등학교 뒤뜰에 도착해 있었다. 내가 우리 학교에서 제일 좋아하는 곳이다. 싱싱한 초록빛 잔디로 뒤덮여있는 뒤뜰엔 울창한 나무와 다양한 색들의 꽃이 가장자리에 피어있고 정중앙에는 우리 학교 마스코트 '잔디맨' 동상이 세워져 있다.

잔디맨으로 말할 것 같으면, 우리 잔디초등학교 식물들의 수호요정 같은 전설적인 존재이다. 잔디로 몸이 덮인 잔디맨이 밤에 돌아다니면서 나무며, 잔디며, 꽃이며 모든 식물들을 보살펴준 덕분에 뒤뜰에 잔디, 꽃, 나무들이 건강하게 자랄 수 있다나 뭐라나. 교장선생님이 운동장 조회대에 올라가서 하는 지루한 말들 중 그나마 흥미로웠던 이야기였다.

아무튼 이 밤에 학교 뒤뜰을 와보다니 내 인생에서 한 행동 중 가장 짜릿한 행동 중 하나가 아닐 수 없다. 어두운 공간에 혼자라고 생각하니 긴장이 되어 엉성하게 서있다가 마음을 안심시키기 위해 상현달이 위에 여전히 나를 지켜주는 것을 한번 봐주었다. 그리고 에라, 모르겠다는 마음으로 밤늦게 일이 끝나 들어온 아빠가 침대 위로 다이빙하듯 철퍼덕 잔디 위로 대자로 누워버렸다.

"와~"

눕자마자 보이는 것은 나의 경호원 상현달 외에도 꼬마 경호원들처럼 듬직하게 반짝이는 다양한 별들이었다. 새삼 등에서 느껴지는 잔디밭의 서늘한 기운에 온몸에 닭살이 돋았다. 몸속에 세포들은 지금 상황이 낯설고, 두려운 동시에 너무 즐겁고 행복해 소리를 지르며 돌아다니는 듯했다. 숨을 한번 들이마시니, 초록의 싱그러운 냄새가 콧속으로 들어오며 '많이 속상했구나' 위로해 주는 기분이 들어 눈물샘에 여전히 남아있던 눈물이 주르륵 나오기 시작했다. 지금 이 순간 나를 품어주는 이 뒤뜰에는 나를 멀리서 지긋이 지켜봐 주는 경호원들과 나만 있으니 자유롭게 내 마음속에 슬픔과 서러움들이 빠져나오기 시작했고, 나를 감싸주는 잔디들이 그 슬픔과 서러움들을 같이 안아주고 있었다.

눈물샘에 눈물들을 비워낸 후 고개를 살짝 옆으로 돌리니 캄캄한 와중에도 달빛이 은은하게 비쳐 잔디가 청록빛으로 비추고 있었다. 멍하니 잔디를 바라보다 고개를 살짝 위로 돌려보니 정중앙에 잔디맨 동상이 보이기 시작했다. 둥그런 머리에 박혀있는 초점 없는 동상의 눈을 보니 좀 섬뜩한 것 같기도 하다고 생각하던 그때.

'부스럭… 부스럭…'

무슨 소리지? 낯설었던 공간에 서서히 녹아들던 와중 어디선가 이상한 소리가 들렸다. 화들짝 놀라 주변을 둘러보기 위해 상체를 빠르게 일으켰다. 나한테서 10보 정도 떨어진 평평한 땅에 한 일부분이 계속 꿈틀거리기 시작했다. 두더지인가? 자세히 봐보려고 미간을 찌푸려 보니, 광야에 누워있던 잔디가 사람처럼 천천히 일어나고 있었다.

"!"

'털썩'

순간 너무 놀라 몸을 일으켜 달아나려 했지만, 다리에 힘이 빠져 맥없이 주저앉아버렸다. 순간 사람처럼 일어난 그 정체 모를 것이 내가 넘어지는 소리를 듣고 내 쪽으로 고개를 확 돌렸다.

'들켰다!'

순간 비명을 지르고 싶었지만 너무 놀라 목소리가 나보다도 먼저 도망갔는지 무기력하게 숨만 헐떡일 뿐이었다. 혹시 좀비? 미라? 두더지인간? 별 생각이 다 들었지만 어느 것 하나 마음에 드는 선택지가 없었다. 이 정체 모를 것이 나에게 천천히 다가오고 있었다. 나는 이제 죽었다. 엄마가 생각났다.

'엄마 죄송해요. 제가 못된 딸이라서 천벌을 받나 봐요.'

라는 생각이 머리를 스치고 진동벨처럼 떨리는 몸을 어떻게든 움직이려는 찰나,

"… 괜찮으세요?"

어둠 속에서 부드러운 중저음 목소리가 들렸다. 너무 놀라 숨을 들이 마신 상태로 굳어버렸다.

"…"

'처벅… 처벅…'

한참 동안의 침묵이 지나고 중저음 목소리를 낸 무언가가 다시 조심스럽게 다가오는 듯했다.

"오… 오지 마!"

'멈칫'

달달 떨며 쥐어 짜내듯 작은 목소리로 내가 말한 소리에 무언가는 발걸음을 멈췄다.

"사... 사ㄹ… 살려만 주세요…"

나도 모르게 말했다. 드라마에서 위 대사를 보고 정말 구리다고 생각한 적이 있었는데, 나도 모르게 그 구린대사가 튀어나왔다.

"어… 안녕하세요. 저는 잔디맨이라고 합니다. 놀라셨으면 죄송합니다."

"…?"

잔디맨? 그 전설의 잔디맨이라고? 진짜로? 두려워서 차마 보려고 하지 않았던 이것(?)에 정체를 제대로 보기 위해 경운기처럼 달달 떨리는 고개를 천천히 돌렸다. 어둠에 온몸이 잔디로 뒤덮여있는 잔디맨의 윤곽이 보였다. 잔디맨은 둥그런 머리에 어쩔 줄 몰라 허공에 두 손이 애매하게 떠있는 채로 두발로 땅을 지탱하고 서있었다. 달빛이 살짝 빛추어 순간 잔디맨의 얼굴이 보였다. 당황을 한 듯 한껏 둥그렇게 뜬 눈이 초롱초롱 순수하게 빛나고 있었고, 뭉뚝한 코는 얼굴 정중앙에 우직하게 위치해있었다. 코 아래는 입으로 보이는 홈이 깊게 파여있었다. 키가 딱 나만 해 보이는 게 사람 같아 보이지만, 당연히 사람은 아니었다.

"일단 많이 놀라신 것 같은데 제가 일으켜 드릴게요."

잔디맨은 정중하게 한 손을 나에게 내밀었다. 잔디맨의 악의 없어 보이는 순수한 눈빛 때문인지, 웬만한 어른들보다 다듬어진 예의 바른 말투 때문인지 모르겠지만 무언가 진정되는 마음으로 멍하게 잔디로 뒤덮인 잔디맨의 손을 잡아보았다.

'따듯하다!'

꿈인가 싶은 순간, 생각보다 따뜻한 잔디맨의 손으로 까끌한 잔디의 촉감과 부드러운 흙이 느껴졌다. 진짜 잔디맨이라고? 믿기지 않는데 하며 잔디맨의 손을 지탱하여 일어나려는 순간.

"어이쿠!"

잔디맨이 내 배위로 철퍼덕 넘어지고 말았다. 그렇다. 잔디맨은 생각보다 매우 작았다. 내 키만 하다는 말은 취소! 생각보다 아담한 크기의 잔디맨은 허겁지겁 다시 일어났다.

"아이구, 죄송합니다. 옷이 저 때문에 많이 더러워졌네요. 아이구… 이거 어쩌면 좋지."

허둥지둥하는 잔디맨을 보니, 무서웠던 감정은 서서히 호기심으로 변해갔다. 또한 잔디맨이 나보다 작다고 생각이 드니 경계심이 줄어들며 심지어는 귀엽다고도 느껴졌다. 잔디맨은 내 배 위에 묻은 흙들을 보며 어쩔 줄 몰라 발을 동동 구르고 있었다.

"아! 괘… 크흠, 괜찮아요."

잔디맨을 일단 진정시키기위해 양손을 들어 위아래로 천천히 흔들며 대답했다. 잔디맨은 내 양 손바닥을 보며 흠칫 하는 듯했다.

"어이쿠, 손바닥이 다치신 것 같아요. 일단 일어나실 수 있겠어요?"

잔디맨의 말에 손바닥을 보니, 아까 몸을 일으키려다 넘어지면서 쓸렸는지 길쭉길쭉한 빨간 상처가 있었다. 손바닥이 이제야 아려왔다. 나는 잔디맨을 보고 고개를 끄덕인 후 천천히 몸을 다시 일으켜 여전히 덜덜 떨리는 다리로 땅을 지탱했다.

"제가 치료해 드리겠습니다. 저를 따라오세요."

잔디맨은 따듯하고 까끌한 손으로 내 손을 잡아 어딘가로 이끌었다. 일어나서 보니, 잔디맨의 키는 내 허리만큼 오는 듯했다. 처음엔 잔디맨의 걸음 소리가 천둥처럼 느껴졌는데 지금은 마치 아기신발에서 나는 소리처럼 쫑쫑쫑 들리는 게 귀엽다는 말이 저절로 나올 뻔했다. 하지만 잔디맨에게 어딘가 모르게 무게감이 느껴져 함부로 귀여워할 수는 없었다.

잔디맨은 뒤뜰 가장자리 중 오른쪽 구석에 분홍색 수국이 가득 피여있는 곳으로 다가가 공처럼 모여있는 분홍 꽃봉오리들 중 가장 큰 꽃봉오리를 두 손으로 살짝 감쌌다. 그러자 수북했던 꽃봉오리들이 벽위로 블라인드를 치듯 올라갔고, 꽃봉오리에 가려져있던 시멘트 벽에 잔디로 뒤덮인 문이 훤히 드러났다. 잔디맨의 집 문처럼 보이는 문이 천천히 열렸다.

"여기는 저만의 안식처 같은 곳이에요. 여기 있는 잔디에는 치유의 힘이 있죠. 문이 좀 작으니 조심히 들어오셔야 합니다."

잔디맨은 쫑쫑걸음으로 잔디맨 크기 만한 문으로 먼저 천천히 들어가 나에게 들어오라는 듯한 눈빛을 보내며 문을 잡아주었다. 잔디의 싱긋한 초록향이 문이 열린 순간 확 퍼졌다. 나는 엉금엉금 거북이처럼 허리를 숙여 잔디맨을 따라 들어갔다.

4족 보행으로 잔디맨 집에 기어서 들어가 보니 내부는 꽤나 넓었다. 조심스럽게 일어서보니 내 머리 위에 주먹 2개 정도 들어갈 수 있을 만한 위치에 천장이 있었다. 방은 밝은 모래색 진흙으로 동그랗게 벽을 이루고 있었고, 바닥은 금색 빛이 나는 잔디로 가득 차 있었다. 방 가운데는 어두운 색 나무로 만든 작은 원형 책상과 의자 2개가 놓여 있었는데 잔디맨은 의자 1개를 작은 원형 책상에서 빼면서 앉으라는 듯 나를 쳐다보며 의자를 조심스럽게 톡톡 건드렸다. 나는 무언가에 홀린 사람처럼 의자 위에 털썩 앉았다. 의자는 생각보다 낮아 마치 웅크려 앉은 자세가 되어 마음이 더욱 편안해졌다. 잔디맨은 바닥에 가득한 잔디 중 가장 금색 빛이 나는 잔디를 고른 후 양손으로 비벼 짓이겼다.

"잠깐 손 좀 줘볼래요?"

나는 멍하게 잔디맨을 쳐다보다 갑자기 말을 거는 바람에 화들짝 놀래며 손을 내밀었다.

"응? 아, 손! 아, 네네."

잔디맨이 짓이긴 잔디를 손바닥에 조심스럽게 문질러주기 시작하자 신기하게도 손바닥의 고통이 서서히 가시는 듯했다.

"말 편하게 하셔도 됩니다."

잔디맨은 짓이긴 잔디를 내 손바닥 위에 다 문질렀는지, 맞은편 의자에 앉으며 정중한 목소리로 말했다. 앙증맞은 가벼운 크기로 어떻게 저런 무거운 목소리를 낼 수 있는 건지 참 알다가도 모를 일이었다.

"아, 응. 너… 정말 잔디맨이야?"

너무나 뻔하지만, 믿기지 않아 다시 한번 확인해야 됐다. 잔디맨은 맞은편 의자에 앉아 고개를 끄덕였다. 잔디맨도 아까보다는 편해졌는지 살짝 웃음을 띠고 있었다. 잔디맨의 웃음은 마치 급식을 먹고 난 후 뒤뜰에 누워서 느끼는 주황빛 햇살 같은 느낌이 났다.

"우와, 정말 잔디맨이구나! 어, 일단 나는 강초희라고 해! 만나서 너무 반가워! 너는 우리 학교의 마스코트잖아. 네가 정말 우리 학교 식물, 꽃들을 관리해? 너에 대해 얘기 좀 해줘! 알고 싶은 게 너~무 많아!"

말이 봇물 터지듯 쏟아졌다. 궁금한 게 너무 많았는데, 놀라 얼었던 입이 드디어 녹는 듯했다. 잔디맨은 어디서 태어났으며, 무엇을 먹으며, 똥을 싸기는 하는 거며 하나부터 열까지 대답을 예측할 수 없는 질문들로 가득했다. 내가 초롱한 눈빛으로 잔디맨을 쳐다보니, 볼이 상기된 잔디맨이 헛기침을 흠흠하며 얘기를 시작했다.

"저는 주변 식물들과 꽃을 관리하고 있습니다, 식물들과 꽃을 가꾸는 것을 좋아하거든요. 아니, 좀 더 자세히 얘기하면 그 일을 하기 위해 태어난 듯했어요. 제가 언제 태어났는지는 알 수 없었지만, 제 손에 처음에 쥐어진 게 삽과 호미였으니깐요. 실수를 할 때도 물론 있지만, 웬만한 식물들과 꽃이 아프거나 성장에 문제가 생길 때면 기막힌 해결법이 떠오르곤 했어요. 그래서 저는 주변 식물들과 꽃을 가꾸는 것이 저의 사명이라고 생각하면서 살았습니다. 주변 식물들이 시들면 저도 시드는 느낌이 들었고, 꽃들이 싱그러울 때면 제가 아주 잘 살고 있다고 느꼈어요."

"우와, 나도 그 느낌 알아. 내 가족들과 친구들이 기쁘면 나도 기쁘고, 슬프면 나도 슬퍼. 언제는 친구들이 시험 점수가 좀 안 나왔다고 너무 시무룩한 거야. 그래서 친구들 기분을 업 시켜주고 싶어서 엄마 지갑에 손을 대서, 분식집에서 떡볶이를 사줬어. 친구들이 고맙다고 하는데 기분이 덩달아 좋아지더라고! 물론 엄마한테 엄청나게 혼나서 속상하긴 했지만 말이야."

말해놓고 아차 싶었다. 엄마 지갑 사건은 나만의 숨겨놓고 싶은 부끄러운 비밀이었다. 이 사건이 우리 식구들 귀에 들어갔을 때 어른들은 다들 나에게 한 소리씩은 하고는 했다. '초희 그렇게 안 봤다, 엄마 돈에 손을 대는 것은 나쁜 짓이다' 등등 착한 아이라는 훈장을 달던 나에게는 너무나 큰 불명예가 되어 절대로 이 사건을 아무에게도 나불대지 않으리 다짐하고 또 다짐했었다. 그런데 엄마 지갑 사건에 대해서 내 입으로 얘기하다니, 바보 강초희! '잔디맨이 나를 나쁜 아이라고 생각하면 어떡하지?' 걱정하며 잔디맨의 눈치를 급하게 살폈으나, 잔디맨은 표정에 큰 변화 없이 오히려 공감한다는 듯 고개를 천천히 끄덕였다. 그리고 무언가 고민하며 침묵을 지키다 입을 떼었다.

"초희 씨 마음에 새로운 새싹이 자라고 있어요."

뜬금없는 잔디맨의 소리에 화들짝 놀라 고개를 아래로 내려보니 그냥 흙 묻은 흰 반팔티만 보였다. 뭐지? 지금 잔디로 뒤덮여있는 사람 같은 요정도 보이는 마당에 잔디맨이 말하는 마음에 새싹은 보이지 않았다.

"초희 씨는 보이지 않겠지만, 저는 사실 처음부터 보였어요. 새싹이 아직은 싱싱하지만, 이대로 두다가는 곧…"

잔디맨은 눈빛이 갑자기 슬퍼지기 시작했다. 그러다가 잠시 망설이더니 자신의 가슴 명치 쪽에 잔디들을 양손으로 벌렸다. 그러자 우리 아빠의 뒷머리가 동그랗게 비어있는 것처럼 잔디맨의 가슴 명치에도 잔디가 아예 자라지 않아 동그란 땜빵이 난 듯 보였다.

"어? 가슴에만 잔디가 없네? 다쳤어?"

"저도 마음에 새싹이 자랐었어요. 지금은 없지만요."

잔디맨은 시무룩한 표정을 하다가, 이내 말을 이어갔다.

"오래전에 제 가슴 부근에 잔디와는 전혀 달라 보이는 새싹이 하나 피어났어요. 제 인생에서 제 몸에 새로운 것이 피어난 것은 처음이어서 놀라 어쩔 줄 몰랐죠. 그래도 일단 한번 물과 거름을 좀 줘 보니, 나날이 지날수록 새싹이 무럭무럭 자라나는 것이 느껴졌습니다. 내 몸에서 자라는 식물이라니, 어떤 색에 어떤 모양의 꽃이 나올지 너무나 기대되었습니다. 문제는 제가 제 식물에 신경을 쓸 시간이 없었다는 것이죠. 그 시기는 봄이었요! 한창 모든 생명이 피어날 시기라 꽃과 식물들은 저에게 많은 것을 요구했어요. 잎이 썩었다, 줄기가 꺾였다, 벌레가 공격했다 등등 수많은 상황을 해결해야 되었죠. 저는 몸이 열개라도 모자랄 지경으로 쉬지 않고 뒤뜰의 식물과 꽃들을 관리했어요. 그러던 어느 날 가슴 부근이 아려오는 게 느껴졌습니다. 무언가 허전한 느낌이 들어 봐 보니 제 가슴 부근에 새로운 새싹이 검은색이 되어있었어요. 그만 썩어버린 거죠."

잔디맨의 눈과 우뚝한 코 아래 깊게 파인 입이 한없이 내려갔다.

"그때 제가 느꼈던 상실감은 이로 말할 수 없었어요. 그 뒤로 식물들이 시들었든 싱그럽든 제 알 바가 아니었습니다. 그렇게 공허한 마음으로 밤이 되어도 저는 일어나지 않았어요. 제 가슴에 피어난 식물을 가꾸지 않은 대가는 생각보다 컸습니다. 세상 모든 것들이 미워졌고, 아무것도 하고 싶지 않았어요. 저를 계속 자책할 뿐이었죠. 왜 다른 식물들과 꽃을 관리하는 것처럼 제 꽃을 가꾸지 않았을까 하고 말이죠."

"사랑받고 싶어서 그랬던 거 아닐까?"

나도 모르게 대답했다. 그리고 갑자기 눈물이 왈칵 쏟아지고 말았다. 뭔가 마음의 말랑한 무언가를 건든 기분이었다. 잔디맨은 내가 갑자기 눈물을 흘리자 놀랐는지 허둥지둥하며 허리 아래 잔디에 손을 쑥 넣어 무언가를 뒤적거리더니 웬 천조각 같은 것을 꺼내 나에게 건네주었다. 자세히 보니 분홍 노랑 파랑 등 다양한 색의 꽃들로 짜인 네모난 손수건 같은 천이었다. 천에는 잔디맨의 흙이 덕지덕지 묻어있었지만 그 어느 것보다 깨끗한 천처럼 느껴졌다.

"고마워, 마음에 식물은 다시 못 자라는 거야?"

잔디맨이 준 손수건으로 급하게 눈물을 닦고 코를 몇 번 훌쩍대다가 잔디맨에게 물었다.

"음…글쎄요. 일단 이제 감정 정리가 되어서, 매일 물과 비료와 사랑을 마음에 주고 있습니다. 언제 가는 다시 필 거라고 믿고 있어요."

"우리 아빠 뒷머리도 다시 자랄 수 있대! 그니깐 잔디맨의 마음의 새싹도 다시 자랄 수 있을 거야!"

아차! 나도 모르게 아빠 뒷머리 이야기가 나왔다. 처음엔 잔디맨은 갸우뚱하다 이내 내 진심을 알았는지 따듯하게 미소지었다.

"고마워요."

그렇게 나는 잔디맨의 치유의 방에서 잔디맨과 연결되는 형용할 수 없는 기분을 느끼다 문밖에서 들어오던 밤냄새가 약해지는 것이 느껴졌다.

"이제 해가 뜨려나 봅니다. 따듯한 기운이 느껴져요. 초희 씨 덕분에 오늘 하루는 푹 쉤네요."

잔디맨은 말을 마치고 의자에 일어나 문을 열고 나를 쳐다보았다. 먼저 나가라는 신호 같았다. 나는 다시 엉금엉금 기어서 문을 통과해 뒤뜰 밖으로 나갔다. 뒤뜰에 나가니 해가 떠오르는 듯 검은색 하늘이 서서히 청푸른 색으로 스며들고 있었다. 잔디맨은 처음에 일어났던 뒤뜰 부근으로 갔다. 가까이 다가가보니 딱 잔디맨한 크기로 땅이 깊게 파여 있었다. 잔디맨은 깊게 파인 땅에 눕기 전에 나를 올려다보았다.

"오늘 즐거웠습니다."

"그럼! 나도 너무 즐거웠어. 너의 마음에 새싹이 어떻게 자랄지 나도 기대하고 있을게."

잔디맨은 내 대답에 고마운 눈빛으로 살짝 웃어 보였다.

"초희 씨 마음에 새싹이 아까보다 좀 더 생기가 생겼네요. 무럭무럭 자랄 수 있도록 물, 비료 그리고 사랑도 잊지 말고 꼭 챙겨주세요. 다른 사람들을 위하는 마음으로 초희 씨 새싹도 위해주기를 바랍니다."

잔디맨은 초록색 잔디로 뒤덮인 자그마한 손을 정중하게 내밀었다. 나는 마지막으로 온기가 있는 잔디맨의 손을 꽉 잡고 우리 둘은 한동안 서로를 응원하는 마음으로 서있었다. 잔디맨 뒤로 서서히 해가 떠오르고 있었다. 햇빛이 서서히 강해져 눈이 질끈 감겼다.

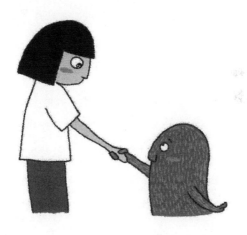

"초희야!"

뭐지? 순간 눈이 번쩍 뜨였다. 눈을 떠보니 잔디맨의 동상이 희미하게 보였다. 다시 눈을 비비고 잔디맨 동상을 보려는데 갑자기 엄마의 얼굴이 확 나왔다.

"엄마?"

벌겋게 된 얼굴에 액체가 흘렀는지 시뻘게진 눈과 코, 헝클어진 갈색 긴 머리카락이 정신없이 어깨 위에 놓여있었는, 슬퍼 보이면서도 안심한듯한 눈빛의 엄마가 눈앞에 나타났다. 엄마 또한 '엉망'이라는 단어가 딱 어울리는 모양새였다. 너무 놀라 상체를 일으켰다. 밤에 내가 뒤뜰에 와서 누운 바로 그곳이었다. 어안이 벙벙한 와중에 밤은 그새 하교를 하고 해가 등교를 하고 있는지 하늘이 주황빛과 하늘빛으로 물들어가고 있었다.

"강초희! 여기서 뭐 하고 있었어? 엄마가 얼마나 찾아다녔는지 알아?"

상황을 파악하기도 전에 엄마의 소리에 화들짝 놀랐다. 엄마는 할 말이 많은 듯했지만 입술을 깨물며 아무 말도 하지 않았다. 갑자기 모든 기억들이 한꺼번에 몰려왔다. 나는 뒤뜰에서 밤새 자고 있었던 거야? 잔디맨은 꿈이었던 건가? 많은 생각들이 스치다 문장 하나가 무겁게 머릿속에 쿵하고 내려앉았다.

'나는 이제 엄마한테 죽었다.'

순간 소름이 돋았고, 모든 것들이 정지된 듯했다. 이것은 전혀 겪어보지 못한 분노 최고의 단계로도 해결될 수 없을 것이다. 뭐라고 변명이라도 말해야 한다.

"엄마! 아니, 나는 그럴 의도는 아니였"

"집에 가자."

엄마가 내 말을 끊고 일어나 천천히 앞장서 걸었다. 나는 당황한 얼굴로 3초 정도 엄마의 걸어가는 뒷모습을 가만히 보고 있다가, 급하게 일어나 엉덩이를 두 번 털고 엄마 뒤를 따랐다. 엄마는 묵묵히 그저 걸을 뿐이었다. 아무 말도 하지 않았고 화도 내지 않았다.

설마 너무 화가 날 것 같아 참고 있는 건가? 아니야. 뒷모습에서 화가 전혀 느껴지지 않아. 대체 뭘까. 너무나 혼란스러운 와중 엄마가 갑자기 걸음을 멈춰 나도 덩달아 걸음을 멈췄다.

"초희야."

"응?"

"엄마가 많이 사랑하는 거 알지?"

전혀 예상하지 못한 엄마의 말에 어떤 대답을 해야 할지 몰랐다.

"엄마가 오해하게 해서 미안하고, 피아노도 사줄게"

순간 또 눈이 뿌예졌다. 또다. 엄마랑 무슨 얘기만 하면 눈물샘이 아주 활발해진다. 하지만 이번엔 평소와 달랐다. 엄마도 뒷모습이었지만 나와 함께 울고 있는 게 느껴졌다.

"엄마.. 내.. 내가 미안해. 막 엄마한테 화내고"

"아니야"

엄마가 황급히 내쪽으로 몸을 돌렸다. 역시나 엄마의 눈도 한껏 젖어있었다.

"오히려 말해줘서 고맙지. 초희가 그런 마음인지 엄마는 생각도 못했어. 다음에도 초희가 느끼는 마음 말해줘. 그래야 엄마가 알지."

우리는 한동안 서로 부둥켜 껴안아 울었다. 그렇게 한참을 울다가 새벽길 한복판에서 울고 있는 우리 모녀의 꼴이 웃겨 또 동시에 웃었다. 그렇게 엄마와 피식대며 남은 눈물을 닦기 위해 호주머니에 넣어둔 휴지를 꺼내 눈물을 닦으려는데 휴지에서 웬 흙잔디 향이 났다. 순간 놀라 휴지를 자세히 보니 내가 꺼낸 것은 휴지가 아니었다. 잔디맨이 준 다양한 색의 꽃으로 짜인 흙 묻은 손수건이었다. 크게 뜬 눈으로 손수건을 멍하니 바라보고 있으니 엄마가 의아한 표정을 지으며 손수건을 쳐다봤다.

"웬 손수건이야? 어머, 예쁜데 좀 빨아야겠다. 누가 준거야?"

"잔디맨이 줬어."

나는 활짝 웃는 표정으로 대답했다.

요리는 이제 그만! 까락까락스!

박세리

일러스트: S.W.H

박세리 어른들 웃기기엔 자신 없지만, 아이들 웃기기엔 자신이 있다. 아이들 어릴 적, 발가락을 꼼지락대며 연기대상급 발가락 연기와 노래를 선보이다 배꼽 잡는 아이들을 보고 '까락 까락스 형제들'을 세상에 소개하고 싶어졌다. 아이 목소리 내는 재주가 있어 오디오 드라마에 아역으로 다수 출연했다(대표작: 나디오 오디오 드라마 『엄마는 장사의 신』, '진서' 역). 직접 쓴 동화로 실감 나게 동화구연을 하고 싶어 북 치고 장구치고 글 쓰고 낭독도 한 구연동화 『세상에서 가장 부드러운 고슴도치 코코』(나디오)가 있다.

인스타그램: @life_of_pie7777
이메일: parkseri77@hotmail.com

오늘은 아침부터 가슴이 콩닥거렸어. 바로 JSA 시상식이 있는 날이거든. JSA 시상식이 뭐냐구? JSA는 '잘(J)'난 '신(S)'체 '어(A)'워즈를 줄인 말이야. 연말을 맞아 1년 동안 눈부신 활약을 해온 신체 부위들에게 그동안의 고생을 위로하고 칭찬하는 상을 주는 거지.

올해에는 우리의 주인인 '나행복' 씨의 신체 부위들 중에서도 손꼬락 시스터즈, 주둥이 가족, 뇌세포 브라더즈, 그리고 놀랍게도 나와 나의 형제들, 바로 까락까락스 형제들이 수상 후보에 올랐다는 사실!

그런데 여기서 꼭 알아야 할 게 있어. 모든 신체 부위가 수상 후보에 오를 수 있는 건 아니야. 에헴! 한 해 동안 그야말로 자신만의 능력을 제대로 뽐낸 신체 부위들만 수상 후보가 될 수 있거든. 물론 어떤 상이 누구에게 주어질지는 아무도 몰라. 매년 상의 종류는 어떤 활약을 했는지에 따라 달라지거든.

이번에 후보에 오르게 된 건 우리에게 정말 큰 의미가 있어. 우린 오랜 세월 동안 단 한 번도 수상 후보에 오르지 못했어. 우리가 받은 상이라곤 10년 전에 처음이자 마지막으로 받았던 '파워 꼼지락 댄스 대상' 뿐이었지. 그것도 사실은 말이야, 시상식 심사위원장이었던 똥꼬랑땡 할아버지가 가장 좋아하는 까락까락스 형제들의 파워 꼼지락 댄스를 추면서 우리 형제들의 애창곡 '까락까락스 행진곡'을 함께 불러드리며 재롱을 떤 덕분에 겨우겨우 받아낸 거야. 시상식이 끝나고 쌍둥이 하양 궁뎅이들에게 들은 얘기지만, 우리의 재롱을 보면서 똥꼬랑땡 할아버지가 너무 웃으시는 바람에 할아버지의 똥꼬 주름이 더 늘어났다지 뭐야. 할아버지 주름을 펴 드려야 하는데 더 늘게 해서 죄송합니다, 할아버지!

아차차, 이야기가 자꾸 다른 곳으로 새고 말았네. 이제부터 우리 까락까락스 형제들이 어떻게 수상 후보에 오르게 되었는지 그 이야기를 들려줄게. 졸지 말고, 딴짓하지 말고 잘 들어봐. 알았지?

인사가 너무 늦었지? 나는 엄지까락까락스야. 살고 있는 곳은 오른발이고, 우리 까락까락스 형제들의 듬직한 맏형이지. 우린 오른쪽과 왼쪽 발에 각각 5개씩 붙어 있는 발가락이야. 우리가 주로 하는 일은 바로 이거야. 몸통을 최대한 위로 아래로, 왼쪽으로 오른쪽으로, 서로서로의 사이를 벌렸다 오므렸다, 꼬았다 풀었다 하며 파워 꼼지락 댄스 추기. 우리의 파워 꼼지락 댄스는 아마 세상 누구도 흉내 내지 못할 거야. 우리 까락까락스 형제들이 상하좌우로 밟는 스텝과 물결이 일렁이는 듯한 파도타기 웨이브는 끝내주거든! 비록 우리 몸에 붙은 굳은살 때문에 움직임이 좀 둔하고, 길이가 짧아서 웨이브는 타다 만 듯하긴 하지만… 휴… 우리에게 기회만 주어진다면 피아노도 칠 수 있을텐데. 늘 그런 좋은 기회는 손꼬락 시스터즈의 차지야. 똑같이 10개인데 왜 손꼬락 시스터즈만 주목을 받을까? 정말 불공평해!

손꼬락 시스터즈는 놀랄 만큼 많은 재주를 갖고 있어. 열 손가락을 자유자재로 움직이며 스마트폰 휘휘 터치하기, 손가락이 휘날리게 빠른 속도로 컴퓨터 자판 두드리기, 또박또박 야무지게 글씨 쓰기, 나행복 씨를 행복하게 해주는 맛있는 음식 만들기, 꽉 막힌 코주부 군의 콧구멍 파주기, 며칠 감지 못해 간질거리는 번들머리 선생님 긁어 주기, 시원하게 응가를 마친 똥꼬랑땡 할아버지의 주름을 구석구석 깨끗하게 닦아 드리기, 때로는 나행복 씨에게 재수 없이 구는 사람의 등 뒤에서 셋째 손가락이 벌떡 일어나 조용히 욕해 주는 서비스 기능까지! 나행복 씨에게 필요한 온갖 일들을 척척 해내는 수퍼 능력자라고나 할까. 우린 손꼬락 시스터즈가 정말 부러워. 손꼬락 시스터즈가 하는 일들을 우리에게 맡겨 준다면 까락까락스 형제들도 분명 잘 해낼 수 있을 거야. 그런 기회만 주어진다면 연말 JSA 시상식에서의 수상은 따놓은 당상일 테고 말이야! 우리 까락까락스 형제들은 연말 JSA 시상식에서 상을 받는 꿈을 갖고 있어. 우리가 상을 받을 수만 있다면 모든 신체 부위의 부러움을 한 몸에 받을 수 있으련만…

우리 까락까락스 형제들이 이렇게 수상에 목을 매는 건 다 이유가 있어. 모두가 우릴 그저 나행복 씨의 발밑에 달랑달랑 붙어서 냄새나 풍기며 살아가는 짜리몽땅 형제들로만 알고 있기 때문이야.

어느 무더운 여름날의 일이었어. 하루 종일 밖에서 일을 하고 돌아온 나행복 씨는 집에 들어와 소파에 앉아서 양말을 벗었어. 그러더니 난데없이 우리 까락까락스 형제들을 코주부 군의 동그란 콧구멍에 가져다 대는 거야. 코주부 군은 여느 때처럼 킁킁거리기 시작했어. 그때 별안간 주둥이 가족이 비명을 질러댔지.

"쬐액~! 뭐야, 이 퀴퀴하고 시금털털한 냄새는!"

모두에게 다 들릴 정도로 호들갑을 떠는 주둥이 가족 때문에 나와 다른 까락까락스 형제들은 창피하기 이루 말할 데 없었어. 유난스러운 주둥이 가족이 너무나 원망스러웠지.

'쳇! 지들은 자고 일어나면 입에서 변기 냄새를 풀풀 풍기면서! 우린 바람도 잘 통하지 않는 곳에서 지내니까 어쩔 수 없다고!'

가만히만 있어도 땀이 뻘뻘 나는 날씨에도 나행복 씨는 양말과 운동화를 신고 오랜 시간을 뛰어다녀. 나와 다른 까락까락스 형제들은 발가락 사이사이에서 샘솟는 땀들의 샤워를 당해낼 재간이 없어. 우리라고 뭐, 이 시큼한 냄새가 좋겠어?

우린 이렇게 나행복 씨의 발끝에서 하루의 대부분을 땀에 젖은 양말 밑에 가려져 존재감 없이, 아니 그저 꼬릿꼬릿 냄새 나는 존재로 인식되며 살아가고 있어.

하지만, 우리가 JSA 시상식에서 상을 탈 수만 있다면 모두에게 우리의 존재감을 드러낼 수 있을 거야. 우린 더 이상 냄새 나는 까락까락스 형제들이 아니라 위대하신 까락까락스 형제들로 다시 태어나는 거지! 우리도 가진 재주가 많은데 단지 그걸 뽐낼 기회가 없을 뿐이라고.

그러던 어느날 우리 까락까락스 형제들의 새로운 능력을 보여준 하나의 작은 사건이 일어났어. 그날도 역시 돈을 벌기 위해 오랜 시간 뛰어다니며 고된 하루를 보낸 나행복 씨는 집에 오자마자 옷만 겨우 갈아입고 침대에 무너지듯 쓰러졌어. 그리고 무언가를 찾는 것 같았어. 나행복 씨가 찾는 것은 바로 TV 리모컨이었지. 리모컨은 발밑에 아무렇게나 놓여 있었어. 일어나 앉아 팔을 뻗으면 닿을 만한 곳에 리모컨이 있는데도 다들 지쳤는지 뚝이뚝이팔뚝이와 손꼬락 시스터즈는 꼼짝할 기색도 보이지 않았지.

'도대체 왜 가만히 있는 거지? 어쩔 셈이야?'

평소처럼 민첩하게 움직이지 않는 손꼬락 시스터즈에게 의문이 든 것도 잠시, 갑자기 기발한 생각이 번득 스쳐 지나갔어. 그건 바로 우리 까락까락스 형제들이 나행복 씨에게 필요한 리모컨을 집어다 주는 것이지! 우리가 리모컨을 집어다 주면 지금까지 손꼬락 시스터즈만 할 수 있다고 생각했던 물건 집기를 우리도 할 수 있다는 걸 뽐낼 수 있게 돼. 그러면 모두가 우릴 다시 보게 될 테고, 연말 JSA 수상 가능성이 좀더 높아지지 않겠어? 생각이 JSA 수상까지 이르게 되자 우린 잽싸게 행동에 나섰어. 뇌세포 브라더즈가 뚝이뚝이팔뚝이와 손꼬락 시스터즈에게 어서 움직이라고 명령을 내리면 큰일이거든. 우리에게 주어진 절호의 기회를 손꼬락 시스터즈에게 뺏길 수는 없지!

발발이 아저씨에게 다리를 길게 뻗어 달라고 부탁드리고, 발발이 아저씨가 다리를 길게 뻗어주자마자 나와 둘째까락까락스는 열심히 꼼지락거리기 시작했어. 나와 둘째까락까락스는 몸통을 위아래로 스텝을 밟듯이 휘휘 움직여서 우리의 몸통 사이에 리모컨을 끼워 넣었지. 그리고 바로 발발이 아저씨의 도움으로 다리를 상체 쪽으로 들어 나행복 씨의 손에 리모컨을 쥐여 준 거야. 나행복 씨가 리모컨을 받아 들 때 단춧구멍눈 아저씨의 좌우로 쭉 찢어진 작은 눈이 오백 원짜리 동전만큼 땡그래졌고, 코주부 군은 깜짝 놀라 순간적으로 '후웅~'하고 콧김을 뿜어냈으며 주둥이 가족은 "오!"하고 나지막한 탄성을 내질렀어. 이 모든 반응이 우리의 굳은살 한 점 한 점까지 실룩실룩 춤추게 만들었어. 하지만, 무엇보다 짜릿했던 건 바로 손꼬락 시스터즈의 놀란 모습이었지. 10개의 손꼬락들이 순간적으로 쫙 펴지면서 그 자리에서 얼어붙은 듯했다니까!

"다들 봤지? 우리도 물건을 집을 수 있다고~! 까락까락스 형제들이 힘을 합하면 뭐든 할 수 있다니까!"

모두가 손꼬락 시스터즈만이 할 수 있는 일이라고 생각했을테지만, 나와 까락까락스 형제들도 할 수 있다는 걸 손꼬락 시스터즈와 단춧구멍눈 아저씨, 코주부 군, 주둥이 가족에게 보여줄 수 있어서 너무나 뿌듯했어. 드디어 우리 까락까락스 형제들의 능력과 존재감을 모두에게 알릴 수 있었던 거야! 우린 뭐든 할 수 있을 것 같은 자신감이 샘솟기 시작했어.

하지만 이것만으로는 JSA 시상식에서 상을 받기엔 아직 부족해.

우리는 뭔가를 더 보여줘야만 했어. 뭘 보여주는 게 우리의 재주를 제대로 뽐낼 수 있을지 까락까락스 형제들은 하루가 멀다 하고 머리를 맞대며 요리조리 궁리했지. 그러다가 우리의 천재 브레인, 새끼까락까락스가 멋진 아이디어를 내놓았어.

"형님들, 밤 10시의 행복 라면을 끓여 보면 어때요?"

"밤 10시의 행복 라면? 오~~~최고야! 역시 우리의 브레인인데!"

우리 까락까락스 형제들은 일시에 환호성을 지르며 서로서로 하이파이브를 했어. 이거라면 의심의 여지 없이 JSA 수상이 확실하거든!

그런데 하고 많은 재주 뽐내기 중에 갑자기 웬 라면 끓이기냐고? 게다가 밤 10시의 행복 라면은 또 뭐냐고? 자자, 서두르지 말고 기다려 봐. 찬찬히 설명해 줄게.

나행복 씨의 배꼽시계는 밤 10시만 되면 어김없이 꼬르륵 소리를 내며 작동돼. 그럴 때면 우리의 주인 나행복 씨는 자주 라면을 끓여 먹어. 라면이 보글보글 소리를 내며 끓어오르면 나행복 씨는 까락까락스 행진곡을 콧노래로 흥얼거리며 계란 하나 탁 깨어 넣고, 파를 송송 썰어 무심하게 털어 넣지. 그리고 나선 가스 불을 끄면서 기대에 찬 목소리로 이렇게 얘기를 해.

"밤 10시의 행복 라면 완성!"

나행복 씨가 만든 행복 라면의 맛은 어떨까? 어떤 냄새일까? 아쉽게도 우리 까락까락스 형제들은 냄새를 맡거나 음식의 맛을 볼수는 없어. 냄새 맡기가 주특기인 코주부 군이 행복 라면 냄새를 이렇게 표현하더라고.

"밤 10시, 출출할 때 끓이는 라면의 향기는 인간의 정신을 혼미하게 하지."

음식 맛보기에 탁월한 능력을 가진 주둥이 가족은 행복 라면의 맛을 이렇게 찬양했어.

"다 익기 직전에 불을 끈 꼬들꼬들한 면발, 라면 수프 한 개를 모두 털어 넣은 짭조름한 국물, 그리고 탱글탱글한 계란과 향긋한 파 향까지 얹은 행복 라면은 그 어떤 산해진미와도 바꿀 수 없는 맛이라고나 할까."

나행복 씨는 밤 10시, 출출한 그 순간에 끓인 라면을 후루룩거리며 세상 최고의 행복을 느끼는 것 같아. 사실 매년 손꼬락 시스터즈가 어김없이 상을 받아 온 이유도 바로 이 '밤 10시의 행복 라면 끓이기'가 가장 큰 이유 아니었을까? 만약 우리 까락까락스 형제들이 나행복 씨에게 지상 최고의 행복을 선사하는 밤 10시의 행복 라면 끓이기에 성공하기만 한다면, JSA 상을 우리에게 주는 데에 그 어떤 신체 부위도 반대하지 않을 거야.

그런데 말이야, 우리의 이런 간절한 소망이 이루어질 기회가 찾아왔지 뭐야! 나행복 씨가 돈을 벌기 위해 밖에서 열심히 뛰어다니다가 넘어져서 오른쪽 팔꿈치가 부러지는 사고가 일어났어. 그 바람에 오른손에 깁스를 하게 된 거야. 그래서 한동안 왼손 손꼬락 시스터즈가 오른손을 대신해서 많은 일들을 해야 했지. 나행복 씨는 오른손잡이이다 보니 아무래도 왼손 손꼬락 시스터즈는 뭔가를 할 때 오른손 손꼬락 시스터즈보다는 다소 서투른 면이 있었어. 그러던 어느 날 손꼬락 시스터즈는 나행복 씨가 좋아하는 바삭한 오 징어튀김을 만들다가 그만 기름에 크게 데이고 만 거야. 물론 손꼬 락 시스터즈의 불행을 기뻐하는 건 절대 아니야. 손꼬락 시스터즈 가 부상을 입은 사실에는 크게 안타까움을 느끼고 빨리 낫기를 바 라고 있어. 그것 때문에 우리의 주인인 나행복 씨가 많은 불편을 겪 고 있거든. 오른손에는 깁스를, 왼손에는 화상으로 생긴 물집 때문 에 음식을 만드는 게 너무 힘들어졌어. 그래서 나행복 씨는 대부분 의 식사를 밖에서 사 먹거나 배달 음식을 시켜 먹고 있거든. 무엇보 다도 나행복 씨가 밤 10시의 행복 라면을 끓여 먹지 못하고 있다는 게 가장 마음이 아파. 그래서 말이야, 우리 까락까락스 형제들이 까 락까락스표 행복 라면을 끓이기로 마음먹었어. 그렇게 하면 나행복 씨의 밤 10시의 행복을 되찾아 줄 수도 있고 연말 JSA 시상식에서 큰 상을 받을 수도 있을 테니까!

이런 생각이 들자마자 우리는 신속하게 움직이기 시작했지. 밤 10시, 공복을 느끼기 시작한 나행복 씨를 뇌세포 브라더즈에게 부 탁해서 부엌으로 이끌게 했어. 다행히 냄비가 들어있는 곳은 싱크 대 아래쪽에 있는 수납장이었어. 냄비를 꺼내는 건 큰 문제가 되지 않았지. 오른발, 왼발, 총 열 개의 까락까락스 형제들이 냄비의 몸 통을 양쪽에서 감싸안고 수납장에서 바닥으로 냄비를 꺼내놓았어. 운 좋게도 라면 봉지 역시 수납 서랍 맨 아래쪽에 있어서 나와 둘째 까락까락스가 봉지 끝을 사이에 끼우고 비교적 수월하게 꺼냈지.

하지만, 그 다음부터가 문제였어. 라면 봉지를 뜯기 위해 우리는 모든 까락까락스 형제들이 봉지에 들러붙었어. 발가락 사이에 봉지 끄트머리를 끼워 넣고 양옆으로 힘껏 잡아당겼지.

"영차영차!"

라면 봉지는 쉽게 뜯어지지 않았어.

"포기하지 마! 힘내자! 영차영차!"

손꼬락 시스터즈, 주둥이 가족, 코주부 군, 단춧구멍눈 아저씨 모두 이 장면을 조마조마하면서도 흥미진진한 듯이 지켜보았어. 우린 모두가 지켜보는 가운데 이 미션을 해내야 한다는 부담감이 생겼지만, 수십 번의 시도 끝에 드디어 팍! 하며 라면 봉지 뜯어지는 소리가 들렸지.

"만세! 우리가 해냈다!"

"우와아! 까락까락스 형제들이 라면 봉지를 뜯었어!"

모두가 상상도 못 했다는 듯 탄성을 내질렀어.

'훗~ 이것 봐. 우리도 손꼬락 시스터즈 못지않은 재능이 있다고~'

우리 까락까락스 형제들은 의기양양해졌지.

하지만 기쁨도 잠시, 라면과 수프 봉지들은 공중으로 부웅 떠올랐다 바닥으로 내동댕이쳐졌어. 그 와중에 봉지 안에 들어 있던 라면 부스러기들은 봄날의 벚꽃이 흩어지듯 바닥으로 여기저기 흩뿌려졌지.

'으악..., 어...어떡하지... 그...그래도 뭐... 먹을 수는 있으니까...'

바닥에 떨어진 라면과 부스러기들을 까락까락스 형제들이 힘을 합쳐 최대한 냄비에 담았어. 다음은 봉지 수프와 건더기 수프를 뜯어 넣을 차례였지. 아까 라면 봉지 뜯기를 교훈 삼아 양쪽 발의 엄지까락까락스와 둘째까락까락스가 수프 봉지 양쪽 귀퉁이를 각각 사이에 끼고 냄비 바로 위에 발을 올려 수프 봉지를 조심스럽게, 아주 조심스럽게 앞뒤로 잡아당겼어.

다행히도 툭! 하고 봉지가 점잖게 뜯어지며 가루와 건더기들이 비 내리듯 봉지 사이에서 냄비로 사르르 쏟아져 내렸어.

"우와아! 까락까락스 형제들이 수프를 흘리지 않고 모두 냄비에 넣었어!"

모두의 감탄에 우린 점점 더 우쭐해져 갔지.

"자, 다음은 뭐지? 다음은...물을 넣어야 하나? 아니면 냄비를 가스레인지에 올려야 하나?"

이런 얘기를 하고 있을 때, 우리의 브레인 새끼까락까락스가 말했어.

"형님들, 물을 먼저 냄비에 넣고 가스레인지에 올려야 해요. 냄비를 먼저 올려버리면 가스레인지가 너무 높이 있어서 물을 부을 수가 없거든요."

역시, 최고의 브레인이야! 빈틈없는 계획으로 일은 착착 진행되어 갔어. 우린 물통을 찾아서 아까 냄비를 꺼낼 때처럼 10개의 까락까락스들이 물통 양쪽에 들러붙어 라면과 수프가 담긴 냄비에 조심스럽게 물을 따랐어.

"우와아! 까락까락스 형제들이 냄비에 물을 부었어!"

'후후후~ 봤지? 이 정도는 식은 죽 먹기라고~'

우리의 자신감은 하늘을 찌를 듯했어.

하지만, 다음 단계는 그야말로 만만치가 않았어. 물과 라면이 든 찰랑찰랑한 냄비를 저 위에 있는 가스레인지까지 올려놔야 하거든. 가스를 켜는 건 큰 문제가 되지 않아. 하지만 물이 든 냄비를 가스 불 위에 올리는 것과 다 끓인 라면 냄비를 가스 불에서 내리는 건 우리에게 쉬운 일이 아니었어. 이때 잠자코 있던 뇌세포 브라더즈가 갑자기 경고를 보내기 시작했어.

"이제 그만! 더 이상은 위험해!"

"뇌세포 브라더즈, 한 번만 시도해 보면 안 될까? 지금까지 우리가 했던 걸 너도 봤잖아! 우린 할 수 있어! 여러 번 시도하면 할 수 있다고!!"

우린 뇌세포 브라더즈에게 사정을 했어. 이제 조금만 더 하면 나행복 씨에게 밤 10시의 행복을 되돌려 줄 수 있는데... 정말 조금만 더 힘을 내면 우리가 연말 JSA 시상식에서 상을 받을 수 있는데...

"안 돼! 지금까지 했던 일도 겨우 해냈잖아. 그것도 부엌을 난장판으로 만들어 놓고!"

순간 주변을 둘러보니 부엌 바닥에는 흩뿌려진 라면 부스러기들과 버려진 라면 봉지, 수프 봉지들이 여기저기 널브러져 있었어. 마치 누군가가 쓰레기통을 뒤엎어 놓은 것 같은 광경이었지.

"하지만 우리 까락까락스 형제들이 힘을 합해 노력하면 해낼 수 있을 거야!"

"안 돼! 너희가 물을 넣은 라면 냄비를 어찌어찌 가스 불에 올려서 라면을 끓였다고 쳐. 하지만, 다 끓인 라면 냄비는 어떻게 내릴 건데? 펄펄 끓는 라면 냄비는 너무나 뜨거워서 까딱 실수라도 하게 되면 나행복 씨가 크게 화상을 입을 수도 있다고. 이건 나행복 씨와 다른 신체 부위들의 안전이 걸린 문제야. 포기하지 않고 노력하는 모습은 박수 쳐 줄 만하지만, 스스로가 할 수 있는 것과 아무리 노력해도 안 되는 게 뭔지는 생각해 볼 필요가 있어! 너희는 손꼬락 시스터즈와는 다르다고!"

다른 어떤 말보다 뇌세포 브라더즈의 마지막 말에 우리 까락까락스 형제들은 뒤통수를 얻어 맞은 것 같았어.

'그래...우리는 손꼬락 시스터즈가 아니야... 그저 퀴퀴한 냄새나 풍기고 무좀과 싸워야 하는 지저분하고 하찮은 까락까락스들이었어...'

우리의 존재감을 드러내기 위해, 그리고 JSA 상을 받기 위해 더이상 나행복 씨와 나행복 씨의 신체 부위들을 위험에 빠뜨릴 수는 없다는 걸 깨달았어. 우리 까락까락스 형제들은 눈물을 삼키며 여기서 멈출 수밖에 없었지.

밤 10시의 라면 사건이 있고 난 뒤, 우리 까락까락스 형제들은 큰 실의에 빠졌어.

'우리는 잘할 수 있는 게 하나도 없어...'

'우리는 10개나 있지만 너무나 무능력해...'

매일매일을 이런 생각에 빠져 우리 까락까락스 형제들은 즐겨하던 앞뒤 좌우 꼬물딱거리기도, 우리의 특기인 웨이브 타기 파워 꼼지락 댄스도, 우리의 애창곡인 까락까락스 행진곡 부르기도, 그리고 우리의 자랑이었던 리모컨 집어 오기도 더 이상 하지 않았어. 그저 발끝에 달랑달랑 축 늘어진 채로 냄새나 풍기며 하루하루를 지낼 뿐이었지.

　그러던 어느 날이었어. 우리의 주인인 나행복 씨는 여느 때처럼 돈을 벌러 열심히 뛰어다니다가 지친 몸을 이끌고 집에 오는 길이었지. 집 앞에는 나행복 씨가 주문한 커다란 택배가 놓여있었어. 나행복 씨는 택배를 들어 집 안으로 옮기려 했지.
　바로 그때였어. 주둥이 가족이 외마디 비명을 질렀던 건.
　"으악~!"
　택배가 너무 무거워서 들고 가다 순간적으로 휘청한 나행복 씨는 그만 그 택배 상자를 떨어뜨리고 말았어. 바로 그때 불행하게도 택배 상자에 깔린 게 나행복 씨의 오른쪽 엄지발가락, 바로 나, 엄지까락까락스였던 거야! 그나마 다행인 건 다른 까락까락스 형제들은 무사했고 나의 뼈가 부러지는 걸로 이 사고는 마무리가 됐지. 의사 선생님은 나와 내 바로 옆에 있는 둘째까락까락스를 한데 모아 테이프로 고정하고 붕대를 감아주셨어. 엄지발가락 하나 다친 정도로 끝난 게 그래도 다행이라고 생각할지 모르지. 팔에 깁스를 한 것 보다, 그리고 손꼬락 시스터즈가 다친 것보다 낫다고 얘기하는 사람이 있을지도 몰라. 나도 그런 줄만 알았어. 팔에 깁스를 하고 손꼬락 시스터즈가 화상을 입어 물집이 생겼을 때 나행복 씨는 아주 불편해했거든.

하지만 그게 그렇지가 않았어. 왜냐구? 내가 생각했던 것보다 나와 까락까락스 형제들은 나행복 씨에게 훨씬 더 중요한 존재였던 거야. 평소에 집에서 꼼지락 댄스를 추며 도대체 이 무슨 쓸모없는 재능이냐고 한탄할 때만 해도 전혀 몰랐지. 내가 부상당한 이후로 나행복 씨는 제대로 걷질 못했어. 목발이라는 것에 의지해야만 천천히 겨우 걸을 수 있었지. 나행복 씨는 더 이상 돈을 벌러 나가지 못했어. 뛰는 건 고사하고 제대로 걷기도 힘든 상황이었거든.

나, 엄지 까락까락스가 다치고 나니 정말 희한하게도 몸 여기저기서 다른 신체 부위들이 힘들다며 아우성을 쳤어. 간질간질겨드랑이 아저씨는 목발을 끼고 다니느라 얼굴이 짓눌려서 미모가 망가진다며 불만을 터트렸지. 펴져라척추 가족은 이 상태가 계속된다면 척추 가족들의 건강에 이상이 생길 수 있다고 걱정하기 시작했어. 가장 힘들어하신 건 무르팍 할머니였어. 무르팍 할머니는 자꾸만 무르팍이 쑤신다며 매일매일 하소연을 늘어놓으셨지. 나 하나 다친 것 때문에 신체 여기저기에 문제가 생긴다고? 상상도 못해봤어. 정말 세상일은 알다가도 모르겠다니까.

그런데 말이야, 나행복 씨에게 우리 까락까락스 형제들은 다른 인간들보다 천 배 만 배 훨씬 더 중요한 존재들이었다는 거 알아? 나행복 씨는 돈을 벌기 위해 하루도 쉬지 않고 늘 뛰어다녔어. 나행복 씨는 계속해서 뛰어야만 돈을 벌 수 있는 인간이었지. 나행복 씨는 마라톤 선수였거든! 우리 까락까락스 형제들 중 누구 하나라도 다치거나 하면 나행복 씨는 뛸 수가 없어. 지금도 내가 빨리 나아야 나행복 씨는 다시 훈련을 하고 마라톤 대회에 나가 상도 받고 선수 생활을 계속할 수 있어. 그래야 자신이 좋아하는 마라톤을 하며 돈도 벌 수 있고, 평온했던 일상을 되찾을 수 있을 거야. 그런데 슬프게도 지금의 나행복 씨는 밤 10시의 행복 라면으로도 행복해하지 않는 것 같아.

나는 지금 나행복 씨에게 밤 10시 라면의 행복을 되돌려주기 위해 빨리 나으려고 노력하고 있어. 그리고 다 낫게 되면 우리조차 알지 못했던 우리 까락까락스 형제들의 재능을 더욱 갈고 닦아서 나행복 씨의 마라톤 기록 향상에 도움을 줄 생각이야. 어때? 우리 까락까락스 형제들 멋지지 않니?

자, 그래서 올해의 JSA 시상식은 어떻게 되었냐구?

먼저 손꼬락 시스터즈의 부상으로 늘 외식을 하거나 배달 음식을 먹어도 밥투정 없이 뭐든지 맛있게 먹어준 주둥이 가족에게는 '쩝쩝박사상'이 돌아갔어. 그리고 물집 잡힌 손으로 서투르지만 최대한 할 수 있는 일들을 해낸 왼손 손꼬락 시스터즈에게는 '부상 투혼상'이 주어졌지. 우리 까락까락스 형제들의 라면 끓이기 소동으로 하마터면 나행복 씨가 화상을 입을 뻔한 상황에서 우리의 폭주를 제때 막아준 뇌세포 브라더즈는 공로상으로 '뼈때리는 쓴소리상'을 받았어. 생각해 보면 뇌세포 브라더즈는 평생의 은인이야. 우리가 과연 펄펄 끓는 냄비를 가스불에서 내릴 수 있었을까? 어휴... 그땐 그저 상 욕심에 눈이 멀어 뭐든 할 수 있다고 우겨댔지만, 돌이켜 보면 모두가 크게 다칠 뻔했잖아? 뇌세포 브라더즈가 아니었더라면... 정말 상상만으로도 끔찍해.

우리는 어떻게 되었냐구? 혹시 모두를 위험에 빠뜨릴 뻔한 라면 소동 때문에 수상 후보에서 탈락한 건 아니냐구? 후후... 그럴리가...

비록 우리가 JSA 상에 눈이 멀어 잠깐 폭주하긴 했지만, 나 엄지 까락까락스의 부상으로 우리 까락까락스 형제들이 얼마나 중요한 존재였는지 만천하에 드러났잖아? 그 덕분에 우리의 예상을 깨고 무려 심사위원장 특별상을 받았단다!

까락까락스 형제들에게 발톱이 난 이후 처음으로 우리의 재능을 당당하게 인정받게 된 거야. 까락까락스 형제들은 저마다 한 마디씩 수상 소감을 전했는데, 얼마나 감격했는지 우리의 브레인 새끼 까락까락스는 울먹이며 이런 말을 했어.

"이젠 제 가랑이 사이에 무좀 벌레들이 습격해 와도 여한이 없을 것 같아요!"

녀석... 얼마나 한이 맺혔길래 저런 말까지 한다고? 말 나온 김에 내 무좀도 네가 다 가져가라.

다른 까락까락스 형제들도 그간의 설움을 한꺼번에 쏟아 내듯이 앞다투어 수상 소감을 줄줄 얘기했어. 내가 다쳤을 때 나와 함께 붕대에 둘둘 말려 나를 지탱해 주던 둘째까락까락스는 겸손해하며 이렇게 말했지.

"엄지까락까락스 형님의 부러진 발가락이 상다리가 부러진 밥상이었다면, 전 그 밥상에 그저 제 발가락 하나 살포시 얹은 것뿐입니다."

당최... 뭔 소리를 하고 싶은 건지... 횡설수설하는 둘째까락까락스의 수상 소감이 끝나자마자 셋째까락까락스가 마이크를 가로채듯 앞으로 뛰어나왔어. 셋째까락까락스는 평소에 움직임이 적고 매우 과묵한 녀석이거든. 그러던 애가 저리도 적극적으로 움직이는 걸 처음 본 까락까락스 형제들은 모두 놀라움을 금치 못했지.

"흠흠, 드디어 올 것이 왔군요. 이젠 저희도 주목받는 까락까락스 형제들이 되었네요. 그간 치장에는 전혀 신경을 안 썼는데, 내일부터는 유명인의 명성에 걸맞게 발톱에 페디큐어 칠하고 광 좀 내고 다니겠습니다!"

세상에... 저 녀석, 조용히 몸만 꿈틀대는 줄 알았더니 마음 깊이 끼도 꿈틀대고 있었잖아! 페디큐어 칠하고 되지도 않는 모델 워킹이라도 하겠다며 폭주하면 어쩌지? JSA상 수상으로 한껏 들떠서는 벌써부터 연예인 병에 걸린 꼴이라니... 에휴...

우리의 눈물겨운(?) 수상 소감을 듣는 내내 우리만큼이나 감격했는지 발바닥이 흥건해지도록 흐느끼시던 빠다다다닥발빠닥 삼촌들은 까락까락스 형제들의 수상 소감이 끝나자마자 모두의 귀가 먹먹해질 정도로 우레와 같은 발바닥 박수를 쳐주셨단다. 아마도 우리와 비슷한 처지라서 더 감격에 겨웠던 게 아닐까?

그런데 우리가 특별상을 받을 때 시상식장이 아수라장이 될 뻔했어. 심사위원장인 똥꼬랑땡 할아버지가 특별상 이름을 한숨에 읽어내리려다 호흡 곤란으로 잠시 쓰러질 뻔하셨지 뭐야. JSA 시상식에는 상 이름을 중간에 끊지 않고 한 번에 읽어야 한다는 규칙이 있거든. 너희도 혹시나 우리가 받은 상 이름을 읽다가 숨이 넘어갈 수 있으니 심호흡을 크게 하고 단박에 읽어 나가도록 해.

우리가 받은 상은 바로바로...!

"'#얘네 없인 못 걸어 #양말 속 숨은 고수 #고추아닌 고수임 #축축하게 빛나는 #퀴퀴한 매력둥이 #이제야 재능 발견 #금쪽이 까락까락스 #시큼해도 괜찮아 #레몬보다 덜 시큼해 #요리는 이제 그만'상이란다!"

〈The End〉

방귀박사

강민정

강민정 기쁠때,웃길때,즐거울 때 등의 감정을 느낄 때 나오는 표정. 바로 웃음. 내 글을 읽는 모
든 이들이 웃을 수 있는 글을 쓰는 작가로 성장해나가려 한다. 그 시작이 되는 글 "방귀
박사"이다.

뽀~옹

내 귓가에 들리는 낯설지 않은 소리. 창문 틈 사이로 부는 바람을 타고 내 코에 스며드는 낯설지 않은 냄새. 바로 방귀 냄새다. 나는 순간 미어캣이라도 된 것 마냥 고개를 쏙 빼들었다. 그리고 그 누구에게도 들키지 않게 조심스럽게 주변을 두리번거렸다.

과연 누가 방귀를 뀌었을까? 냄새를 맡아보니, 점심에 먹었던 김칫국, 탕수육, 그리고 뭔가 더 있는데? 알듯 말듯한 지독한 냄새. 초콜릿인지, 아님 젤리인지.

냄새가 창문 틈 사이 바람을 타고 온 걸로 보아 분명 창가 쪽에 앉은 친구들 모둠일 것이다. 그 순간 두 볼이 빨개진 은주와 엉덩이를 들썩 거리는 찬호가 보였다.

과연.... 은주, 찬호 둘 중 누가 방귀를 뀌었을지.

바로 나 2학년 3반 17번 김봉구. 자칭 방귀 박사가 지금부터 찾아보도록 하지!

안 그래도 점심 먹고 졸린 참이었는데, 정신을 바짝 차리고 나의 방귀 탐색 능력을 최대치로 높여서 찾아봐야겠다.

오늘 점심 급식은 분명 흰쌀밥에 김칫국, 탕수육과 새콤달콤 소스, 그리고 후식은 감귤이었다. 그런데 코에 맡아진 이 생선이 썩은 것 같은 냄새는 무엇이었을까? 이 생선 썩은 냄새는 분명 달콤한 것을 먹은 냄새인데.

그리고 보니 은주가 점심 먹은 후 친구들과 모여 간식을 먹는 것 같던데, 달콤한 초콜릿, 젤리를 먹었으려나? 그러면 분명 은주가 방귀를 뀐 사람일 텐데, 아차차! 찬호도 축구를 하러 가기 전 친구가 들고 있던 초코바를 한입 베어 먹고 가는 걸 본 것 같은데. 과연 둘 중 누구 일까?

5교시 수업을 마치고 집에 가려 준비하고 있었다. 그때 갑자기 큰 목소리로 찬호가 "푸하하 아까 방귀 소리 들었어? 뽀~~ 옹~~~ 하는 소리던데~~ 아기가 뀐 것 같은 소리던데 과연 누가 뀐 걸까?" 하며 계속 떠들어 댔다. 주변의 친구들은 소리를 못 들었다며 찬호에게 다시 소리를 흉내 내달라고 이야기를 하며 웃고 떠들었다. 그때 은주를 보니 평소와 다르게 또 다시금 볼이 빨개진 채로 고개를 숙이고 가방에 필통을 넣고 있었다. 내 예상이 맞다면 찬호의 말에 부끄러운 듯 보이는 은주가 방귀를 뀐 것이 아닐까? 하지만 찬호의 말이 부자연스러운 것 같은데, 방귀뀐 놈이 성낸다는 속담이 스치듯 지나가며 혹시 찬호가 뀌고 지금 큰 소리로 이야기하는 게 아닐까? 싶은 의심이 든다.

그렇게 방귀 뀐 친구를 찾지 못한 채 집으로 돌아가는 길. 자칭 방귀박사라고 말하는 게 부끄러운 하루였다. 하지만 누가 뀐들 어 떠하랴~ 방귀 뀌는 것이 부끄러운 것도 아닌데.

그날 집에 돌아가서 할머니께 오늘 있었던 일들을 이야기했다. 할머니께서는 웃으시며 찬호가 방귀 뀐 것 같다고 하셨다. 그러면 서 "방귀 뀐 놈이 성낸다"라는 속담을 이야기하셨다. 내가 교실에 서 생각했던 것과 같았다. 그렇다면 은주는 왜 그렇게 부끄러워한 것일까? 물론 누가 뀌었는지 알지 못하지만 나의 궁금증은 커져만 갔다.

이런저런 생각하고 있는 와중 내가 이렇게 방귀박사가 된 일이 생각났다. 1학년때 나는 학교에서 수업 시간에 화장실을 간다고 손 을 드는 것도 너무나 부끄러워하는 친구였다.

유치원에 다닐 때는 화장실 가고 싶을 때 가면 그만이었다. 친구 들에게 방귀 소리를 들려주면 깔깔 재미있게 웃었다. 진짜 방귀를 뀔 때도 있었고, 아님 입으로 똥바귀, 귀신 방귀, 푸드덕 거리는 오 리 방귀 등등 여러 가지를 흉내 내면 친구들이 깔깔 웃었다. 친구들 이 재미있어하는 모습이 너무 좋아서 없던 방귀 소리도 만들어 내 며 방귀에 이름을 붙이며 놀곤 했다.

그런데 초등학교에 오자마자 학기 초 같은 반 승우가 수업 시간 에 방귀를 뾰~옹 하고 뀌자 친구들이 수근 대며 키득키득 거렸다. 분명 재미있어하는 웃음은 아니었다. 그 순간 승우는 얼굴이 빨개 진 채로 울먹이며 화장실로 달려갔다. 그 모습을 본 나는 유치원에 다닐 때처럼 아무렇게나 방귀를 뀌거나 소리를 흉내 내면 안된다고 생각을 했다. 누군가 내 방귀소리를 듣는다면, 냄새를 맡는다면 어떻게 될까? 상상도 할 수 없는 일이었다. 그래서 수업이 끝나고 나면 집으로 부리나케 달려가 뿌붕 뿌붕~~~~ 푸드덕푸드덕 ~~ 뿌왕~뿌왕~방귀 대장 저리 가라는 정도로 방귀를 뀌어댔다. 그때마다 그런 나를 보시며 할머니께서는 "참으면 병 된다. "라고 말씀하시곤 하셨다. 그래도 나는 학교에서 참고 참고 또 참았다.

그러는 어느 날 수업 중

"야~ 너 얼굴이 노랗게 변했어"

"어? 땀도 많이 나~" 짝지 승우가 속삭이며 말했다.

"괜,,, 찮,,,,,,아" 땀을 닦으며 힘겹게 대답했다.

"봉구야 괜찮니? 안색이 너무 안 좋은데? 양호실 갈래?

내 옆을 지나가던 선생님이 이야기했다.

"안 되겠다. 승우야 봉구 좀 양호실에 데려다주고 올 수 있겠니?"

"네 선생님"

승우가 나를 부축해서 일어나는 순간 "뿌뿌붕~~ 와~~~ 앙" 하고 트럭 클락션 보다 더 큰 소리의 방귀를 뀌었다. 나를 부축하던 승우는 내 옆에서 한발 짝 물러났다. 다른 친구들은 약속이라도 한 듯 동시에 하던 일을 멈추었다. 난 정말 시간을 멈추고 친구들의 기억을 지우고 탈출하고 싶은 마음이었다. 난 너무 부끄러워 고개를 숙이고 승우에게 부축을 받고 양호실에 가서 누워있었다. 그날 친구들의 놀란 얼굴과 키득거리는 모습을 잊을 수 없었다. 그 일이 있고 난 후 나는 사람들의 방귀 소리와 냄새에 탐지견이 된 것 마냥 방귀 뀐 사람과 방귀 냄새를 맡으면 무엇을 먹었는지 알 수 있는 능력이 생겼다. 사실 능력이 생겼다기보다는 매일매일 킁킁대고 생각하고 박사님처럼 연구하니 능력이 발전한 게 아닌가 싶기도 하다.

그리고 그날 밤 꿈에 방귀 괴물이 나와 친구들에게 방귀를 뀌면 다 잡아먹겠다고 소리를 질렀다. 그러고는 방귀를 뀐 친구들을 잡아갔다. 친구들이 한 명 한 명 사라졌다. 방귀를 뀌지 못한 친구들은 하나 같이 얼굴이 노랗게 변하고 식은땀을 흘리며 끙끙거리기 시작했다.

"봉구야 난 이미 틀렸어. 너 먼저 가" 하며 노래진 얼굴로 도망가라 손짓하는 찬호를 보고

나는 무슨 용기가 났는지 찬호와 친구들에게 큰 목소리로

"얘들아 참으면 안 돼!! 방귀괴물 때문에 방귀를 뀌지 못하면 우리가 아플 거야~"

"우리 힘을 합쳐서 방귀 괴물을 물리치자"

"하나 둘 셋 하면 모두 다 같이 방귀를 뀌어서 저 방귀 괴물을 날려버리자"

라고 소리쳤다.

친구들이 하나 둘 노래진 얼굴로 똥꼬를 손으로 가리고 모여들기 시작했다.

우리는 엉덩이를 방귀 괴물을 향해 치켜들었다.

"하나, 둘 , 셋"

모든 친구들이 양손을 꽉 쥐고는 뿌~웅 하고 다 같이 방귀를 뀌었다.

그 소리가 얼마나 컸는지, 로켓이 우주를 향해 날아가는 것 같았다. 그리고 교실 창문이며, 책상, 의자가 들썩이며 교실 밖으로 날아가는 줄 알았다.

그 순간 방귀 괴물은 "안돼"를 외치며 하늘로 사라졌다. 괴물이 사라질 때 교실 친구들이 모두 손뼉 치며 "우리가 해냈어"라고 말했다. 그리고 노랬던 친구들의 얼굴이 다시 원래처럼 돌아왔다. 친구들은 나에게 우르르 몰려와 "네가 우리를 살렸어"라고 하며 모두 함께 웃는 사이 난 잠에서 깨어났다.

난 이 재미있는 꿈을 친구들에게 얼른 이야기를 하고 싶었다. 그래서 교실에 가자마자 친구들에게 어젯밤 꾸었던 꿈에 대해서 이야기를 하며 웃고 있었다. 그때 옆 자리에서 듣고 있던 찬호가 큰 목소리로

"얘들아~ 방귀 괴물이 나타나면 우리 모두 다 같이 방귀를 부~웅 하고 뀌면 괴물이 사라진데~"라고 하며 다 같이 하나 둘 셋 하면 방귀를 같이 뀌자고 했다.

그때 유치원에서 친구들과 방귀에 대해 재미있게 이야기를 하던 것이 생각났다. 그래서 입으로 푸드덕 오리 방귀를 흉내 내었다. 그러자 친구들이 깔깔 거리며 웃었다. 그 모습을 보고 신이 나서 더 다양한 소리로 방귀 소리를 흉내 내었다.

그랬더니 "우웩 진짜 방귀냄새가 나는 것 같아" 찬호가 코를 막

고 말했다. 그래서 나는 원래 방귀 소리가 크면 냄새가 거의 안 난다고 이야기를 했다. 그리고 " 푸시쉬~"하며 소리가 안나는 귀신 방귀가 냄새가 지독하다고 말했다. 그러자 친구들이 내 주변으로 더 모여들더니 방귀에 대해 더 이야기해달라고 했다.

드디어 그간 내가 매일 방귀에 관해 연구하던 노력이 빛을 발하는 순간이었다.

1. 똥방귀 : 똥을 참는 중 뀌는 방귀.

2. 뽀글뽀글 방귀 : 목욕탕 물속에서 뀌는 방귀

3. 따발총 방귀 : 따따따 하며 쉴세 없이 따발총 같이 나오는 방귀

4. 뿡이요 방귀 : 한 번에 뿡~ 하고 뀌는 방귀

5. 귀신 방귀: 소리 없이 뀌는 방귀

방귀에 대한 설명이 끝나자 너도 나도 이런 방귀 저런 방귀를 뀌어 본 적 있다고 했다.

이제 방귀 냄새에 대해 이야기를 할 차례이다.

방귀는 우리가 먹은 음식을 소화할 때 생기는 가스라서 방귀 냄새는 우리가 먹는 것과 관련이 많다고 말했다. 그래서 이제껏 내가 맡았던 방귀 냄새에 대해 이야기를 하였다. 냄새가 많이 나지 않는 방귀는 야채를 많이 먹은 방귀 냄새라고 말했다. 그러자 너도 나도 오늘부터 야채 많이 먹을 거라고 했다. 친구들은 그럼 초콜릿이나 사탕을 먹으면 달콤한 냄새가 나는지 물어보았다. 나는 박사님처럼 좋은 질문이라고 답을 했다. 그리고 달콤한 초콜릿 사탕 젤리를 먹으면 생선 썩은 냄새가 난다고 말해주었다. 그러자 친구들의 눈이

커졌다. 손으로 코를 막는 친구도 있었다. 한 손에 초콜릿을 들고 있던 소희는 슬그머니 주머니에 초콜릿을 넣었다.

그때 승우가 어떻게 하면 방귀를 아무도 모르게 잘 뀔 수 있는지 물어보았다. 그 순간 나는 승우에게 엄지손가락을 들고는 좋은 질문이라고 말했다. 그리곤 말없이 의자를 집어 들었다. 친구들은 신기한 눈으로 바라보았다.

난 의자를 끌면서

" 자 이때야"

"의자가 '끼익 끄억 다그닥' 끌리는 소리에 맞춰서 방귀를 뀌는 거야~"

그러자 친구들이 재미있다는 듯 의자를 따라 끌었다.

그리고 두 번째 방법은 방귀가 나올 때 헛기침이나 재채기를 크게 하면 된다고 했다.

그 순간 찬호가 "에취" 하고 재채기를 하자 친구들이

" 어?? 찬호 설마"

하며 찬호를 놀리듯이 이야기를 했다. 찬호는 한사코 아니라며 손사례를 치며 웃었다.

찬호의 웃음이 끝나고 조용해진 틈에

마지막 방법을 이야기했다. 바로 큰소리로 웃을 때 슬쩍 뀌기. 거기에 박수까지 같이 치면 더 좋다고 이야기를 했다. 그러자 친구들은 모두 약속이라도 한 것처럼 다 같이 손뼉 치며 웃기 시작했다. 그 순간 나는 슬며시 나는 방귀 냄새를 맡을 수 있었다. 누구인지 모르겠지만 가르쳐 준 것을 벌써 실천하다니 대단한걸~!!

　내 이야기가 끝나자 찬호가

　"봉구는 방귀 박사님 같아~"라고 말했다.

　그러자 친구들이 "맞아 맞아 " 하며 찬호의 말에 맞장구를 쳤다.

　나는 그 말이 싫지만은 않았다. 친구들이 우리 반에는 방귀 박사님이 있으니 방귀에 대해 궁금하면 봉구 방귀 박사님에게 물어보라고 하며 웃으며 다음 수업을 준비했다.

빵빠레

지수

지수 하고 싶은 일이 있으면 1%의 확신만 있어도 일단 해야 한다. 99%의 안될 이유를 말해
도 '어쩌라고' 라는 마인드로 살아가는 취미 부자 교사이다. 35살 전에 일확천금을 얻
는 것이 꿈이다. 막상해보면 별게 아닌게 참 많으니 망설이지 말고 뭐라도 해보자 별안
간 글이라는 것을 쓰게 된 지금처럼!

"지금부터 정하준의 먹방이 시작됩니다."

발소리, 의자 끄는 소리로 교실이 소란스러워진다.

"오늘은 뭔데?"

"뭐야? 뭐야!"

"빼빼로!"

1학년 2반은 요즘 먹방이 유행이다.

하준이는 매일 아침 간식을 가져와 먹방을 보여주며 친구들을 웃겨준다.

친구들에게 먹방을 보여주기 위해 평소보다 10분이나 일찍 학교에 도착했다. '하준이가 학교에 왔을까?' 교실이 가까워질수록 발걸음이 괜히 불안해진다. 나는 두근거리는 마음을 붙잡고 교실 문을 열었다. '하준이 자리에 친구들이 잔뜩 모인 것 같은데?' 나의 온 신경은 하준이 자리에 향해 있었지만 마음을 들키지 않으려 가방을 벗는 척 몸을 살짝 돌려 하준이의 자리를 보았다.

"빼빼로 세 개를 콕콕콕콕 먹었어."

"와하하 입에 초코 다 묻었어."

하준이의 자리에 친구들이 성을 쌓는 것 마냥 모여있다.

친구들 사이로 빼빼로가 콕콕거리며 하준이 입속으로 들어가는 것이 보인다.

'말도 안 돼. 오늘 10분이나 빨리 학교에 왔는데! 하준이가 더 일찍 왔다니' 나는 한숨을 푹 쉬며 자리에 앉았다. 콕콕거리는 빼빼로 소리가 마치 '한발 늦었네?' 하며 내 심장을 콕콕 찌르며 놀리는 것만 같다.

드디어 하준이의 먹방이 끝났다. 드디어 나의 먹방 차례가 다가온 것이다. '이제 정민이의 먹방이 시작됩니다!라고 외치면 되겠지?' 그럼 친구들이 모두 내 자리로 모일 거야!' 나는 두근거리는 마음으로 가방 속에 있는 간식을 향해 손을 뻗었다. 내가 가져온 간식은 크림빵이다.

"얘들아!"

"얘들아 운동장에 나가자!"

나의 목소리는 하준이의 목소리에 순식간에 묻혀버렸다. 친구들은 하준이를 따라 운동장으로 나간다. 교실이 언제 그렇게 시끄러웠냐는 듯 조용하다. 크림빵 안에 갇혀있는 크림이 된 거 같이 마음이 맥맥해진다. '먹방 한다고 빨리 말할걸. 나는 왜 이렇게 자신감이 없는 거야? 아니야! 내가 먹방으로 인기가 많아질까 봐 하준이가 일부러 친구들을 데리고 운동장으로 나간 게 아닐까? 틀림없어!

이건 분명해!' 나는 콕콕거리던 불편한 마음을 작게 내뱉었다. 가방에 있던 내 손이 어색하게 허공을 한번 휘젓고 나온다.

"아! 나도 하준이처럼 되고 싶다."

언제부터 하준이처럼 되고 싶었을까? 우리는 7살 때 같은 반이었다. 나와 하준이는 종이접기를 좋아했고 놀이시간마다 색종이를 가져와 함께 미니카를 접으며 놀았다. 그리고 다른 친구들에게 미니카 접는 방법을 함께 알려주곤 했다.

그러던 어느 날 하준이가 "얘들아 나 슈퍼 미니카, 제트 미니카. 탱크 미니카 다 접을 수 있다? 나 어제 유튜브 보고 배웠어! 접고 싶은 사람 얼른 나한테로 와!"라고 친구들에게 말했다. 친구들이 하준이 곁으로 우르르 몰려갔다. 나는 그때 심장이 쿵쿵 뛰기 시작했다. '나한테 말도 안 하고 저런 요상한 이름을 가진 미니카들을 접는 걸 연습했다고? 너무해!'

"엄마 나도 하준이처럼 되고 싶어요! 유튜브 들어가 주세요! 미니카 접어야 해요!"

"이정민, 오늘은 엄마랑 유튜브 보지 않기로 약속했지? 내일은 보게 해 줄게"

엄마는 아무것도 모른다. 친구들을 하준이에게 다 빼앗길 수도 있는 긴급한 상황이란 걸!

그날은 정말 하준이가 너무나도 부러운 날이었다. 그 이후로도 하준이는 미니카뿐만 아니라 친구들이 접고 싶은 것을 뚝딱 접어 주었다. 하준이의 인기는 날로 하늘을 찔렀다.

'아! 나도 하준이처럼 되고 싶다.'라고 생각하며 하준이를 부러워 할 뿐이었다.

'운동장에는 왜 나간 걸까?' 나는 하준이가 밖에서 무엇을 하는지 또 친구들에게 둘러싸여 어깨가 잔뜩 올라간 채 자랑스럽게 웃고 있는 건 아닌지 궁금해졌다.

"아유 더워 창문 옆으로 가야지."

나는 덥다는 핑계를 대며 창 밖을 구경하는 척 하준이가 어디 있 는지 눈을 굴려가며 찾았다. 그때 소란스러운 소리가 내 귀를 타고 들어온다. '하준이다!' 나는 고개를 돌려 소리가 나는 쪽을 봤다. 조 회대 계단에 서 있는 하준이를 보며 친구들이 박수를 치고 있었다. 하준이와 친구들은 계단을 한 칸 두 칸 세 칸 올라가며 점프하면서 놀고 있었다.

"또 저거야? 잘 뛰지도 못하면서!"

나는 코웃음을 치며 창문 너머로 하준이를 바라보았다.

하준이가 세 번째 계단에서 뛰어내리자 친구들이 "와아!"하며 감 탄한다.

하준이의 어깨가 친구들의 감탄 소리에 한껏 올라간 것처럼 보인 다. 하준이는 네 번째 계단으로 올라갔다. 하준이가 네 번째 계단에 서서 우물쭈물한다.

"왜 안 뛰어내리지? 무섭나 봐"

"그냥 눈 한번 딱 감고 뛰어내리면 될 텐데. 너도 무서운 건 무섭지? 맨날 네 번째에서 실패할 거면서 친구들은 왜 다 데리고 나간 거야." 하준이에 대한 내 마음이 심장을 콕콕 찔렀고 그런 하준이를 보며 괜히 입술을 삐죽 내밀었다.

그때 예준이가 웃으며 네 번째 계단으로 성큼성큼 올라간다. 예준이가 네 번째 계단에서 뛰어내리는 것을 성공한다. 친구들은 새로운 영웅이 나타나기라도 한 듯 눈을 크게 뜨고 소리를 지른다. 예준이는 어깨가 한껏 솟아 오른 채로 머쓱하게 웃는다. 예준이는 항상 네 번째 계단에서 뛰어내리는 것을 성공했고 그때마다 친구들의 박수세례를 받았다.

"역시 축구부 예준이야! 하지만 다섯 번째 계단은 성공하지 못할 걸?"

'난 다섯 번째 계단 성공해 봤는데.'

"하나 둘 셋"

'쿵!'

나는 미지의 영역인 다섯 번째 계단에서 성공하기 위해 우리 집 아파트 계단에서 뛰어내리는 연습을 한 적이 있다. '잘 뛸 수 있을까?' 막상 계단 앞에 서자 가슴이 콩닥거렸다. 뛰어내릴 때 나도 모르게 움찔해 난간을 잡고 말았다.

"한 번만 그냥 진짜로 뛰어보자!"

나는 눈을 꼭 감고 다섯 번째 계단에서 냅다 뛰었다.

'쿠당'

다섯 번째 계단에서 뛰어내리는 것을 성공했다. 비록 넘어졌지만 그런 아픔 따위는 느껴지지도 않았다.

"누가 계단에서 이렇게 뛰는 거야!"

나는 누가 볼세라 웃으며 집으로 재빠르게 들어갔다.

"야호! 성공했다. 하준이도 예준이도 성공하지 못한 거 내가 했다고!"

그때 예준이가 다섯 번째 계단으로 성큼성큼 올라간다.

"설마 예준이도 나처럼 연습했나?"

나는 떨리는 마음으로 예준이를 봤다.

"다섯 번째는 좀 무섭네!" 하며 예준이가 머쓱하게 웃으며 다시 내려온다.

"다섯 번째 계단이 뭐가 무섭다고! 그냥 눈 한번 딱 감고 뛰면 되는데"

나는 문득 '그냥 내가 나가서 보여줄까?'라는 생각이 들었다. '아니야! 그러다 실패하면 웃기잖아. 아니야! 그래도 나가서 도전해 볼까?' 왔다 갔다 하는 마음에 엉덩이가 들썩들썩거리고 난리가 났다. '나는 왜 이렇게 자신감이 없는 거야! 이러다가 또 한발 늦겠어!' 나는 아까 전에 하준이에게 밀려버린 먹방이 생각나자 눈이 번

뜩 뜨였다. '그래! 눈 딱 감고 다섯 번째 계단에서 뛰었던 것처럼 지금 나가서 친구들에게 보여주자!'

나는 떨리는 마음을 부여잡고 크게 소리쳤다.

"얘들아! 정하준! 다섯 번째 계단, 나 할 수 있어!"

내 목소리가 얼마나 컸는지 조회대에 있던 친구들이 모두 나를 향해 고개를 돌린다.

"정민이다! 정민이 다섯 번째 계단 할 수 있대!"

"빨리 오라고 하자. 이정민! 빨리 와서 보여줘!"

나는 빛의 속도로 달려 나가 조회대에 도착했다.

나는 한 칸 한 칸 계단을 밟고 올라가면서 생각했다. '실패하는 건 아니겠지? 이러다 거짓말쟁이 되는 거 아니야?' 계단을 올라가는 길이 커다란 산 정상을 올라가는 것처럼 높게만 느껴졌다. "하나! 둘! 셋!" 옆에서 친구들이 큰 소리로 숫자를 세기 시작했다. 심장이 쿵쿵 거리며 터질 것만 같았다.

'에라 모르겠다' 나는 눈을 꼭 감고 힘껏 다섯 번째 계단에서 뛰어내렸다.

'성공했나? 그냥 계단에 착지한 거 아니야?' 나는 쿵쿵 거리는 마음을 진정시키며 눈을 떴다.

"와아아! 정민이가 성공했어. 진짜 대단해!"

눈을 뜨니 완벽하게 바닥에 착지를 했다. 친구들이 웃으며 환호하는 모습을 보니 마치 계단에서 뛰어내리기 국가대표 선수가 된 것 같았다.

"이정민! 너 진짜 대단하다. 나랑 나중에 먹방도 같이할래?" 하준이가 나에게 함께 먹방을 할 것을 제안했다.

"사실 나 오늘 먹방 하려고 크림빵 가져왔는데.."

나도 모르게 자신감이 스멀스멀 흘러나왔는지 간식을 가져온 사실을 친구들 앞에서 발표해 버렸다.

"그걸 왜 이제 말해! 선생님 오시기 전에 빨리 가서 먹방으로 해치워 버리자!"

나는 하준이와 어깨동무를 한 채 교실을 향해 달려갔다. 친구들에게 둘러싸여 먹방을 보여주는 상상을 하니 기분이 날아갈 것 같았다.

"얘들아! 정민이가 크림빵 먹방한대!" 하준이가 큰소리로 친구들에게 이야기를 한다.

나는 가방에 있던 크림빵을 꺼내 포장지를 뜯었다.

"자 지금부터 이정민의 크림빵 먹방이 시작됩니다!"

나는 눈을 꼭 감고 입을 크게 벌려 크림빵을 한입에 앙! 물었다. 크림빵에서 크림이 빵 하고 나온다.

"와아 크림이 엄청 많아! 입에 다 묻었어"

친구들의 웃음소리가 들린다. 콕콕 거리며 불편하던 마음이 간질간질해지기 시작했다. 크림빵에서 터져 나오는 크림처럼 나의 자신감도 점점 터져 나오기 시작했다.

일탈 35km

강윤정

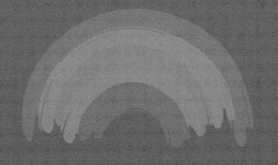

강윤정   부끄러움이 많고 내향적이어서 항상 말보다는 글이 편한 사람이었다. 아이들에게 동화

책을 읽어주다가 어느 날 문득 책을 써보고 싶다고 생각이 들었다. 그렇게 박치기하듯

첫 책을 쓰게 됐다.

"내일 9시 맞지?"

체육 시간 피구 후 땀이 식지 않은 듯 손 부채질을 하며 혜미가 물었다.

"응응. 갈 때는 우리 엄마가 태워준대!"

뒤에서 살금 거리던 내 걸음이 세 발자국을 남기고 은비 대답과 함께 멈췄다.

'무슨 이야기지? 내일 9시?'

학교도 나오지 않을 토요일 9시. 아무리 생각해 봐도 무슨 의미인지 딱 떠오르지 않았다. 나만 모르는 무언가가 있다는 느낌에 한껏 올라갔던 입꼬리도 제자리를 찾았다. 우리가 홀 수인 탓일까? 나만 좋아하는 아이돌이 없는 탓일까? 괜스레 또 혼자인 느낌이 나를 감쌌다.

"은채는 어차피 못 올 테니까 비밀... 히익!!"

인기척을 느낀 은비가 말을 하며 고개를 돌리자 눈이 마주쳤다.

왜 그러냐는 듯 뒤돌아본 혜미도 숨겨놓은 초콜릿을 먹다 들킨 것처럼 파들짝 놀랐다. 두 사람의 낯빛은 마치 며칠 전 학원에서 커닝을 하다 걸린 남자애와 비슷했다. 얼굴은 순간 하얘졌고 시간이 멈춘 듯 잠시 움직이지 않았다.

"나 뭐? 내일 9시는 또 무슨 얘기야?"

내가 물어보자 혜미는 식었던 땀이 다시 나는 듯 옷소매로 목 주변을 쓸었다. 티 내지 않았지만, 내 등에서도 개미 한 마리가 기어가는 듯 땀이 주룩 흘렀다.

'나만 빼고 단둘이 뭘 하려던 거였으면 어떻게 하지. 괜히 물어봤나...'

어떤 대답을 들어도 괜찮을 것 같았는데, 순식간에 마음이 소란스러워졌다. 그리고 불편한 침묵이 길어질수록 모른 척할 걸 싶은 후회가 밀려왔다.

"그게 사실은... 음... 어..."

어색한 적막을 깨고 혜미가 우물쭈물거렸다. 그러자 후회가 한층 누그러지며 주변 소음이 청소기에 빨려 들어간 듯 내 귀에서 멀어졌다. 그런데도 혜미의 좁쌀 같은 목소리는 여간 귀에 담기지 않았다.

"어... 그게... 저..."

눈동자로 대답하듯 혜미의 시선은 입과 다르게 분주했다. 뭔가를 숨기는 듯 나와 은비를 번갈아 보는 모습은 차분해졌던 내 마음을 다시 소란스럽게 만들었다.

'왜 대답을 안 해주는 걸까?'

'눈빛으로 은비랑 말을 맞추는 걸까?'

'혹시 내가 뭘 잘못했었나?'

스스로에게 이유를 캐물을수록 알 수 없는 긴장감에 입이 앙다물어졌다. 얼마나 입술에 힘을 주었는지 저릿한 통증도 느껴졌다. 그리고 마침내 무언가 결심한 듯 은비가 코로 숨을 무겁게 들이켰다. 항상 중재자처럼 행동하는 은비의 숨소리는 내게 그 어느 때보다도 컸다.

"흠... 우선 네가 서운할 수 있어. 그래도 괜찮으면 말해 줄게."

심상치 않은 도입부에 잠시 고민은 됐지만, 이 찝찝한 호기심을 이길 수는 없었다. 결국, 물어보는 내게 은비는 차분히 말을 이어나갔다.

"그래서 항상 은채 너는 엄마 때문에 못 노니까... 우리끼리 계곡 놀러 가려고 했거든."

은비가 말을 마치자 조용히 옆에서 눈치만 보던 혜미가 뒤이어 거들었다.

"물어볼까 하다가 어차피 안 될 텐데... 모르는 게 낫겠다 싶었지 우린..."

말을 할수록 초반과 다르게 두 사람 표정이 편안해졌다. 그래도 미안함은 여전한지 혜미는 얄밉지만 귀여운 표정을 들이밀며 애써 분위기를 풀었다. 실제로 내게 물어봤어도 나는 못 간다고 했을 것이다. 그렇기에 내 눈치를 보며 장난을 치는 이 순간 못 이기는 척 안 받아 줄 수 없었다.

수업이 끝났다는 경쾌한 종소리를 5번은 더 듣고서야 종례 시간이 왔다. 담임 선생님이 들어오시는 데도 뒷자리에 앉은 은비와 혜미의 입은 멈추지 않았다. 내 시선은 교탁을 바라보고 있었지만, 귀는 마치 뒤통수에 붙은 듯했다.

"나도 내일 계곡 갈래."

종례가 끝나자마자 고개를 휙 돌려 두 사람을 바라봤다. 같이 가겠다는 내 말에 두 사람은 정말이냐며, 괜찮겠냐며 반문하며 기뻐했다. 이에 배 째라는 식으로 속마음과 반대로 패기 있게 대답했다. 그러고선 시끄럽게 자진모리장단을 치는 심장을 부여잡고 마트까지 갔다.

'원래 이 시간이면 집에서 간식을 먹으며 영어단어를 외우고 있을 시간인데...'

심장박동수만큼 정신 사납게 두 개의 자아가 머릿속을 괴롭혔다. 학원 보충 수업까지 째고 먼 곳까지 놀러 간 걸 들킬 상상을 하니 정수리에서부터 땀이 주르륵 흘렀다. 교복 와이셔츠가 회색이 아닌 흰색이라 정말 다행이었다. 그렇게 남몰래 땀으로 샤워를 하며 내일의 식량을 하나하나 카트에 담던 때였다.

"은채야 내일 진짜 올 수 있는 거 맞지?"

계산을 다 끝낸 카트를 같이 밀며 포장대로 향하던 중 혜미가 조심스럽게 물어봤다.

"아 쫌~ 고만 좀 물어봐~ 은채가 올 수 있다고 했잖아!"

내가 대답할 새도 없이 은비가 톡 쏘며 답했다. 벌써 6번째 듣는 질문인 만큼 은비도 진저리가 난 모양이었다.

"걱정 마! 나 이번엔 무조건 갈 거니까!"

16년 인생 처음으로 엄마 허락 없이 결정한 일이라 무서웠지만, 애써 무시하려 더 크게 대답했다. 안 그래도 언제부턴가 은근한 소외감을 느꼈는데, 나만 빼고 멀리 놀러 간다고 생각하니 더 불안했다. 어떤 선택이든 뒷일이 두려운 건 마찬가지였다. 차라리 그간 함께 하지 못했던 아쉬움이라도 풀고 후회하는 게 맞았다. 지금껏 집에서 차로 17분 거리인 시내조차도 가보지 못했던 내가 내일 계곡을 갈 생각을 하니 이제야 진정한 16살이 된 것 같았다.

"어? 곧 6시인데 은채 너 학원 늦는 거 아냐?"

은비가 보라색 케이스를 씌운 핸드폰을 내 눈앞으로 쑥 들이밀었다. 구매한 것들을 앞으로 멘 책가방에 눌러 담던 혜미도 나를 바라봤다. 나는 얼른 철제 포장대 선반에 놓인 쌈장과 과자 한 봉지를 집어 들었다. 그리고는 가방 입구를 팔로 감싸 안고 먼저 간다는 말을 허공에 던지며 밖으로 뛰쳐나갔다.

헉헉거리며 9층 건물의 학원 앞에 도착했을 때만 해도 밝았던 하늘이 수업을 마치고 나오니 어둑해졌다. 힘없이 터덜거리던 다리도 어느새 집 근처 마지막 횡단보도 앞에 다 달았다. 까만 배경 사이 초록색 졸라맨이 반짝거리자 내 옆으로 하나둘 걸어 나가기 시작했다.

'띵- 13층입니다.'

내일 몇 시에 씻을지, 뭐 입고 놀지 등을 고민하는 사이 집 앞까지 도착했다.

"은채 왔니? 와서 저녁 먹자."

퇴근이 늦으셨는지 화장도 옷도 그대로 앞치마만 두른 엄마가 현관문 쪽을 바라보며 말하셨다. 한 손에 들린 갈비찜 접시를 보니 엄마의 분주함이 금세 이해됐다. 그 옆에 바짝 놓인 계란말이도 한 세트처럼 익숙했다.

"하암~ 왔냐? 배고프다 얼른 와."

현관문 근처 오른편의 방문이 열리더니 검은색 반바지에 흰색 티를 입은 남자가 하품하며 내 앞을 지나갔다. 역시나 대학교 여름 방학을 맞이한 엄마 아들이 온 모양이었다. 4살 터울의 오빠는 나를 향해 귀찮다는 듯이 수저를 까딱이며 내 발걸음을 재촉했다. 저 매가리 없는 숟가락과는 상관없이 얼른 가방만 벗어놓고 부엌으로 향했다. 갈색 나무 식탁 위에 놓인 고등어구이부터 된장찌개를 보니 침이 꼴깍 넘어갔다.

"내일 그래서 보충 몇 시라고?"

고등어 가시를 바르며 낑낑대던 중에 내 오른편에 앉은 엄마가 말을 건넸다.

"아홉 시... 근데 왜?"

"아~ 엄마 내일 아줌마들이랑 약속 있어서 은규한테 좀 챙겨달라고 해야 하나 했지."

"에이~ 내가 무슨 애인가? 걱정 마요."

어쩌면 집에 계신 것보다 엄마도 어디선가 시간 가는 줄 모르시는 게 내겐 더 좋을 것 같았다. 그러면 내가 평소보다 집에 늦게 들어와도 눈치 보일 일이 없을 테니까. 아까 먹었던 된장찌개 국물이 갑자기 더 구수하게 느껴지는 순간이었다.

"은채는 다 먹었으면 들어가서 공부해. 은채 너도 오빠처럼 좋은 대학교 가려면 1분 1초가 아깝게 살아야지. 오빠는 네 나이 때 밥 먹으면서도 책 봤어. 친구랑 추억 같은 건 다 대학교 가서 만들고 놀면 돼. 지금 사귀는 친구 한 10년 지나면 다 소용없어."

이제는 외울 수도 있을 것 같은 말들이 엄마 입을 통해 지겹게 쏟아져 나왔다.

"잘 먹었습니다."

그칠 줄 모르는 엄마 잔소리를 끊고 오빠가 일어섰다. 나와는 다르게 십 대 때부터 전교권 등수만 찍던 오빠는 단번에 명문대까지 입학했다. 어릴 적부터 홀로 우리 남매를 키워낸 엄마에게 오빠의 대학교 진학은 마치 하나의 명함 같았다. 그런 오빠 옆에서 조금이라도 덜 비교당하기 위해 아등바등해 왔다. 그 결과 나는 어떤 누구도 만족시키지 못하며 살아왔다고 느끼는 요즘이다. 내가 뭘 원하는지보다 엄마가 뭘 원하는지가 중요해졌으니까. 그런데도 엄마의 기대를 채우기에 오빠라는 선례는 내게 버겁기만 했다.

"저도 잘 먹었습니다."

얼른 마지막 한 숟갈을 입에 욱여넣었다. 그리고 오빠가 만들어 낸 공백을 기회 삼아 부엌을 빠져나왔다.

혹시나 갑자기 누가 들어올까 문까지 걸어 잠그고 방에 들어왔다.

"흐음~ 젖은 옷 넣을 비닐봉지, 갈아입을 옷, 선크림, 쌈장, 과자, 나무젓가락..."

핸드폰에 적어놓은 내일 준비물들을 하나씩 읊으며 수학 학원 가방에 넣어갔다. 그리고 무슨 보물이라도 되는 것처럼 수학 교재를 침대 아래 깊숙이 밀어 넣었다. 그때 '지잉-' 대면서 핸드폰 진동음이 울렸다. 익숙한 진동음에도 나도 모르게 깜짝 놀라 뒤를 돌아봤다. 핸드폰을 확인해 보니 앞방에 사는 남자였다.

[오늘 엄마 말 너무 부담 갖지 마. 아직 너 놀아도 되니까. 적당히 공부하다가 자라~]

본인도 느꼈던 부담감이어선지 정은규는 가끔 이렇게 오빠 티를 냈다. 본인이 공부 잘한 게 가끔 나한테는 미안한 모양이었다. 도둑이 제 발 저린 타이밍에 놀라, 처음에는 문자를 읽고 바로 화면을 꺼버렸다. 하지만 시간이 지날수록 오빠의 말이 왠지 모를 응원 같았다. 다가올 완전 범죄에 대한 자신감이 올라 처졌던 어깨도 솟았다. 그래서 다시 핸드폰을 들었다. 그리고는 아까 온 문자에 가볍게 답장을 했다. 마음처럼 여유로운 발걸음으로 불을 끄고 침대로 향했다. 여러 이유로 체력 소모가 많았던 하루였기에 매트리스 속으로 녹아드는 듯했다. 근데도 왜인지 좀처럼 말똥거리는 눈은 잠재우기 힘든 밤이었다.

'삐비비비빅-! 삐비비비빅-!'

매일 아침 질리게 듣는 알람 소리가 오늘은 왠지 낯설었다. 더 생동감 있고 또렷했다. 기지개를 한 번 쭉 편 뒤 침대에서 벗어나 이불 정리를 툭툭 했다. 그리곤 방문을 열고 바깥 상황을 살폈다. 거실 유리창을 통해 들어온 햇살처럼 기분 좋은 적막함이 집 안을 꽉 채웠다. 그리고 조심스럽게 걸어가 신발장을 빼꼼 쳐다봤다. 투명한 중문 유리창 너머로 엄마의 검은색 뾰족구두가 가지런하게 보였다. 약속이 오후 시간대이신지 궁금했지만, 웬일로 늦잠을 주무시는 듯한 이 기회를 놓치기 싫었다. 그래서 새끼발가락까지 힘을 주어 뒤꿈치를 들고 사뿐 거리며 화장실로 향했다. 기분 좋은 여유로움도 잠시, 10분 빠르게 도착할 것 같다는 은비 문자에 허둥거리며 신발을 구겨 신었다.

아침부터 학교까지 뜀박질한 덕에 다행히 꼴찌는 면했다. 얼마나 열심히 뛴 건지 비릿한 피 맛이 목구멍에서부터 느껴졌다. 만년 지각생 혜미도 오늘만큼은 3분이나 남겨 두고 도착했다. 얼마 지나지 않아 은비가 어제 알려줬던 차 번호의 빨간 모닝이 우리 앞에 멈춰 섰다. 차 운전석 쪽을 향해 2~3번 허리를 숙여 인사를 하면서 차에 올라탔다. 그리고 보조석에 앉은 은비가 허리를 꽈배기처럼 비틀며 뒷좌석 우리를 소개했다. 시원한 에어컨 아래 내리쬐는 더위를 뚫고 약 20분째 달리던 중이었다.

'띠리링~'

익숙한 문자 알림음이 진동과 함께 내 왼쪽 바지 주머니에서 울렸다. 별다른 생각 없이 주섬거리며 핸드폰 메시지를 확인했다. 그리고 1분도 채 되지 않아 달리는 이 차 안에서 뛰쳐 내리고 싶었다.

[엄마는 광덕산으로 뭔 나물 캐러 간다고 오늘 늦는대. 너 챙겨서 저녁 먹으라는데 몇 시에 와?]

정은규가 보낸 문자 하나로 다시금 심장이 자진모리장단으로 휘몰아쳤다. 왜 하필 광덕산인지, 왜 하필 오늘인지 등의 투덜거릴 정신조차 없었다. 아직 도착도 안 했는데 이미 발각된 것처럼 숨이 턱턱 막혀왔다. 다리까지 덜덜 떨며 대화에 집중하지 못하는 나를 혜미가 3~4번 흘긋거렸다.

"뭔 일 있어? 왜 이렇게 초조해 보여?"

내 팔을 톡톡 치며 혜미가 물어왔다.

"하아... 가는 날이 장날이 아니라... 내 제삿날인 것 같아"

두 손으로 얼굴을 감싸 쥐며 대답했다. 차에서 내린 후의 상황을 상상하자니 손바닥에 가려진 내 시야처럼 깜깜했다. 차라리 시간이 멈춰버렸으면. 그렇게 한참을 나만의 어둑한 시공간 속에 빠져들었다. 옆에서 어리둥절했을 혜미의 표정도 잊은 채로 말이다. 그런 나를 깨운 건 다시금 톡톡 두들기는 혜미의 손가락이었다. 앞에서 신나게 엄마와 재잘거리는 은비 뒤로 혜미에게만 핸드폰을 슥- 보여줬다. 문자를 읽은 혜미도 놀란 토끼 눈으로 나를 바라봤다. 그리곤 붕어처럼 소리 없이 입을 뻐끔거렸다. 괜찮냐고 물어보는 듯했다. 당연히 괜찮을 리가 없었다. 나는 깊은 한숨을 쉬며 두 손으로 얼굴을 감싸 쥐는 것으로 대답했다. 오만가지 생각이 나를 35분쯤 괴롭히고 나서야 우리는 35km 거리의 광덕산에 도착했다. 이대로 이

차를 타고 다시 왔던 길을 돌아가고 싶지만, 이미 늦었다. 다시 돌아가야 할 것 같다는 말이 턱 끝까지 차올랐지만, 친구들과 어제의 나를 생각하니 차마 내뱉을 수 없었다. 안 그래도 머릿속이 아수라장 같은 와중에 혜미가 정신없게 은비 왼팔을 잡아 흔들며 상황을 전했다.

빨간 마티즈가 시야에서 사라지고 나서야 은비가 입을 열었다.

"여기까지 왔는데 일단 놀자! 정은채 걱정 마! 쫓겨나면 우리 집으로 와! 가자 가자!"

그렇게 먹을 게 잔뜩 든 수학 학원 책가방을 메고 앞서 걷는 은비를 따라 산을 올랐다. 책가방을 머리에 멘 것도 아닌데 아줌마들만 보이면 절로 고개가 내려갔다. 반사신경처럼 고개가 아래로 떨어지거나 좌우로 꺾였다. 이런 나와는 반대로 은비와 혜미는 미어캣처럼 고개를 쭉 빼 들고 걸었다. 왼쪽 오르막길 끝을 걷는 내 앞과 오른쪽을 은비와 혜미가 경호원처럼 든든하게 지켰다.

콩알 같아진 심장으로 15분 정도를 오르니 은비가 작년에 놀았다던 곳이 보였다. 들은 대로 4인 가족 한 팀 외에는 없을 정도로 한적하고 좋았다. 회색빛의 삐죽빼죽한 자갈돌을 발로 차며 우리가 앉을 바닥을 골랐다. 그리고 하나둘 무거운 짐들을 내려놓기 시작했다.

"뭐야?!!! 돗자리는?!!"

갑자기 혜미가 찢어지는 목소리로 소리치는 바람에 은비는 놀라 마시던 물을 뱉었다. 옆에서 도란거리던 가족도 일제히 고개를 돌려 우리를 쳐다봤다. 이에 혜미도 민망했는지 멋쩍게 치아를 드러내며 웃어 보였다.

"왜 그래?"

상황 파악을 하고자 내가 혜미에게 넌지시 물었다.

"분명히 내가 어제저녁에 챙겨놓은 것 같은데... 왜 없지... 아... 어쩌지..."

혜미가 많이 당황했는지 얼굴까지 붉어진 채로 빈 가방만 뒤적였다. 자갈돌 바닥이야 가방이라도 깔고 앉으면 되었다. 하지만 물놀이를 위해서는 한 명씩 돗자리 뒤에 숨어 옷을 갈아입어야 했다. 이래저래 난감한 상황이 아닐 수 없었다.

그때 살짝이 떨어져 앉아계시던 아저씨께서 걸어오셨다. 켜켜이 접힌 무언가를 움켜쥔 한 손이 제일 먼저 눈에 들어왔다. 교실 책상 앞뒤 간격 정도로 가까워지자 걸치신 반팔 와이셔츠의 노란 꽃무늬가 눈에 환히 들어왔다. 마치 아저씨의 따뜻한 인상을 닮은 노란 개나리꽃이었다.

"혹시 돗자리 없으면 아저씨네 하나 남는 데 쓸래?"

"우와! 감사합니다!"

가장 반죽 좋은 은비가 넙죽 받아 들며 인사를 했다. 뒤이어 나랑 혜미도 어버버 하며 고개를 숙여 인사를 드렸다. 허허허 웃으며 돌아가시는 줄 알았는데, 곧이어 여분 파라솔 1개까지 설치해 주시고 나서야 가족 곁에 머무르셨다.

덕분에 파라솔 뒤에 숨어 옷도 편히 갈아입고 계곡으로 향했다.

물고기도 잡고, 가재도 잡고, 물장난도 쳤다. 물장구를 치던 중 은비 슬리퍼 한 켤레가 떠내려가서 그것만 한 20분 찾았다. 두 시간 쯤 정신없이 놀고 나니 물살에 체력도 떠내려간 듯했다. 주변 소리에 묻혀 들리지 않았지만, 이미 30여 분 전부터 뱃속도 꼬르륵꼬르륵 칭얼댔다. 친구끼리는 배꼽시계도 닮는지 은비랑 혜미도 배고픔을 호소하며 슬금슬금 돗자리를 향해 몸을 움직였다.

"혜미야 아직도 못 찾았어?"

휴대용 가스버너에 넣을 부탄가스를 5분 넘게 찾고 있는 혜미를 향해 내가 물어봤다.

"하... 오늘 왜 그러지 나... 진짜 미안해!! 내가 얼른 가서 사 올게!"

혜미가 두 번이나 연이은 실수에 많이 미안했는지 바로 가방 속에서 지갑을 꺼내 들었다.

"혼자 갈 수 있겠어? 은채야! 은채! 안 내면 갔다 오기 가위바위보!!!"

옆으로 누워있던 은비가 래퍼처럼 말의 속도를 갑자기 올렸다. 오늘도 얍삽한 은비의 재간에 넘어간 나는, 뭐 낼지 고민할 새도 없이 다섯 손가락을 쫙 폈다.

"으악!!!!!!!"

가위를 낸 은비의 팔이 의기양양하게 하늘로 치솟았다. 패배자가 된 나의 절규에 맞춰 은비와 혜미의 깔깔거리는 웃음소리도 더해졌다. 돗자리에 드러누운 승자의 여유로운 손 인사를 뒤로 한 채, 혜미와 처음에 올라왔던 길을 되돌아 내려갔다.

10분쯤 내려오자 4m 정도 앞에 구멍가게 같은 슈퍼 하나가 보였다. 파란 지붕에 오래된 것 같은 황토색 흙벽 외관이 이곳 터줏대감 같았다. 바로 코앞이라는 생각에 무거운 발걸음을 재촉하려던 순간. 저 멀리 가슴 정도 오는 굵은 웨이브 머리칼에 갈색 선글라스와 빨간색 등산화를 신은 사람이 보였다. 마치 눈에 현미경이 썬 듯 순식간에 확대되어 보였다. 그 옆에 까랑까랑한 특유의 웃음소리를 지닌 통통한 아주머니를 보니 더욱 확신했다. 상황 파악이 끝나자 올해로 가장 빠르게 몸이 움직여졌다. 바로 앞에 보이는 검은색 승용차 옆구리를 향해 몸을 숨겼다. 눈은 발보다 빨랐고, 행동은 결심보다 빨랐다. 덕분에 엄마 외 아줌마 3분과 마주칠 위험에서 나를 구했다.

"어머? 혜미 아니니?"

내가 숨은 줄 모르고 혼자 조잘거리며 걷던 혜미 앞으로 엄마가 말을 건네왔다. 순간 혜미도 놀란 듯 휙-하고 뒤를 돌아봤다. 그리고 아무도 없자 혼란스러운 표정으로 주위를 두리번거렸다. 전쟁터에서 전우를 버리고 혼자 살아남은 기분이 이런 걸까? 다행이면서도 매우 찝찝했다. 대답 없이 두리번거리기만 하는 혜미를 의아해하며 엄마가 재차 말을 걸었다.

"아. 안녕하세요! 네네 맞아요 하하..."

부자연스러워 보이는 혜미의 인사에 긴장돼서 더는 꼬르륵거리지도 않았다. 제발 그냥 지나갔으면 하는 바람으로 속으로 급히 기도까지 드렸다.

"가족끼리 놀러 온 거야? 아니면 친구?"

역시 몇 년 만에 드린 기도가 닿기에는 신앙심이 얄팍한 탓이었을까? 또다시 들려오는 엄마의 질문에 심장이 주저앉는 기분이었다. 차라리 진짜 주저앉아서 잠시 기절하는 게 나았을지도 모르겠다.

"아 네! 친... 친구랑 놀러 왔다가 부탄가스가 없어서 잠깐 사러 가는 길이었어요."

어딘가 어색해 보이면서도 예의 있게 대답하는 혜미였다. 이런 혜미와 나의 초조함과는 다르게 엄마의 운동화는 움직일 기미가 보이지 않았다. 신발 밑창에 접착제라도 붙은 건지 엄마 주변 친구분들도 서로 대화하며 여유로워 보였다. 제발 이제는 그만 지나갔으면 하는 심정으로 두 손을 꼭 잡았다.

'하느님, 부처님, 알라신 뭐든 상관없으니 엄마가 그냥 지나쳐가게 해주세요!'

"곧 기말시험 아니니?"

무언가 탐탁지 않을 때 나오는 엄마 특유의 목소리가 내 고막을 찔렀다. 표정을 보지 않았음에도 치켜 올라간 한쪽 눈썹 끝자락이 연상됐다. 수긍하는 혜미의 대답에 걱정했으나, 다행히 나에게 하는 것처럼 잔소리하지 않으셨다. 대신에 그저 이해할 수 없다는 한숨을 한 번 내뱉으셨다. 그리고는 무슨 이유인지 괜찮다는 혜미를 데리고 슈퍼로 향하셨다. 그리고 8분쯤 지나자 다시 눈앞에 나타났다. 신용카드를 핸드폰 케이스에 꽂아 넣는 엄마 뒤로 혜미가 보였다. 가게를 나오는 걸음처럼 표정도 어쩐지 어정쩡해 보였다. 그런 혜미의 모습에 미안함이 더해져 정수리부터 흐르는 식은땀은 멈추지 않았다. 한참을 신경을 곤두세워 진이 빠지던 찰나 혜미가 연신 고개를 숙이며 인사했다. 엄마도 발걸음을 옮겨 혜미를 지나쳐 가셨다. 이제는 다 끝났겠지 싶어 자동차 그림자에 숨어 한숨을 작게 쉬었다.

"휴... 살겠다..."

슬슬 저리던 구부러뜨린 허리와 다리를 펴니 혼잣말이 절로 나왔다. 그리고 긴장이 풀린 탓인지 의지와 상관없이 금방 다리를 철퍼덕 바닥으로 떨어뜨렸다. 부딪히는 자갈 소리와 모래 먼지가 승용차 아랫부분으로 자욱하게 퍼져나갔다. 동시에 차바퀴 대각선 너머로 빨간 등산화가 갑자기 획- 뒤를 돌았다.

"무거워 보이는데 정말 혼자 괜찮겠니?"

익숙하지만 공포스러운 목소리가 다시금 들려왔다. 너무 놀란 나머지 흙 묻은 손을 그대로 들어 올려 입을 막았다. 까끌거리는 모래 알 느낌을 느낄 정신 따위는 없었다. 내 다리가 1초만 더 늦었다면, 내 목이 바닥에 나뒹굴었을 것이다. 상상만으로도 너무 아찔하고 끔찍했다. 이런 와중에 야속하게도 아직 모래 먼지는 미동 없는 자동차 하단에서부터 연기처럼 퍼져나갔다.

'지금 커다란 투명 이불이 있다면 저 먼지를 한순간에 덮어 버릴 텐데...'

정말 말도 안 되는 상상에 스스로 헛웃음이 날 지경이었다. 사실 오늘 일 모든 게 믿기 힘들긴 했다. 큰맘 먹고 집에서 35km나 떨어진 곳이 엄마의 목적지와 같다는 것. 심지어 마주칠 뻔했다는 것. 돗자리도 부탄가스도 없어서 놀지도 먹지도 못할 뻔한 일이며, 친구에 대해 부정적이던 엄마가 혜미를 챙기는 듯한 모습까지. 도저히 그간 내 고리타분한 삶과 경험으로는 믿기 힘든 순간들이었다. 특히 한가득 무언가를 사주고는 하얗고 빼빼 마른 혜미가 걱정되었는지 재차 묻는 엄마가 제일 이해되지 않았다.

이러한 생각들이 멈춘 건 빨간 등산화가 다시 멀어져 갈 즈음이었다. 결국, 엄마 친구분들이 불편해하는 혜미가 안쓰러웠는지 엄마 등을 떠밀고 데려가셨다. 다행히 일행 눈치가 보인 엄마가 발걸음을 옮기며 나는 호랑이굴에서 빠져나올 수 있었다. 엄마 뒷모습이 희미해질 즈음 혜미도 긴장이 풀렸는지 한숨을 토해냈다. 그리고는 검정 비닐봉지 안을 뒤적이기 시작했다. 얼마 지나지 않아, 바지 주머니 속 내 핸드폰이 '지잉-' 움직였다. 역시나 발신자는 전쟁터에서 잃어버린 내 전우 혜미였다.

"혜미야!"

전화를 받는 대신 오른손을 번쩍 들고 자동차를 빙 돌아 나오며 불렀다. 뒤통수 쪽에서 들리는 소리에 혜미가 깜짝 놀라며 뒤돌아봤다.

"앗 깜짝이야! 야!!!!... 나 진짜 아까 얼마나 떨렸는지 알아? 흐잉"

순간 폭발한 듯 혜미가 소리쳤다. 그리고 이내 아이가 칭얼거리듯 내 어깨에 얼굴을 파묻었다. 10시간 같았던 10여 분을 이겨내 준 혜미에게 미안해 얼른 짐도 뺏어 들었다. 그리고 다시 돌아가는 길 내내 그칠 줄 모르는 하소연도 기꺼이 듣고 또 들었다. 결국, 오늘 우려하던 일은 벌어졌고 상황은 유야무야 끝났다. 가장 두려워하던 상황을 이미 맞닥뜨린 채 상황은 끝났다. 그런데도 무엇 때문인지 한결 평안한 느낌은 받지 못했다. 오히려 두 손과 마음이 무겁고 찝찝해 돌아가는 길이 아까보다 길게 느껴졌다.

돗자리에 가까워지자, 이미 과자 한 봉지를 까서 먹고 있는 은비가 보였다. 감자칩을 봉지째 입에 털어 넣던 은비도 우리를 봤는지 한 손은 흔들었다.

"얼른 먹자!"

마치 맏언니 같은 느낌으로 은비가 말을 했다. 혜미는 며칠 굶은 사람처럼 빠르고 꾸준한 속도로 삼겹살을 불판에 올렸다. 나는 미리 깨끗하게 씻어온 상추를 손바닥 위에 올렸다. 그리고 그 위에 삼겹살, 김치, 밥, 고추, 쌈장을 쌓았다. 마지막으로 동그랗고 옹골지게 감싼 뒤 입에 넣었다.

"역시 물놀이 후에 먹는 고기가 최고지!"

마치 두 번째 인생을 사는 듯 걸쭉한 목소리로 은비가 감탄했다. 입이 터지게 쌈을 싸 먹은 혜미도 격하게 끄덕이며 공감을 표했다. 정말 집이나 식당에서 구워 먹는 것과는 차원이 달랐다. 소고기보다 더 맛있게 느껴지는 돼지고기는 처음이었다. 은비 말대로 물놀이 후의 고기여서 맛있는 건지, 첫 일탈 후 먹는 음식이어서 맛있는 건지 알 수 없었다. 하지만 지금껏 먹어본 삼겹살 중 가장 맛있는 것만은 분명했다. 시선은 자꾸 불판 위로만 향했고 입은 끊임없이 오물거렸다. 눈 여겨둔 고기 한 점을 더 노릇하게 굽고 싶어서 젓가락으로 꾹 누르던 그때였다.

"은채야!! 너 손목!"

갑자기 내 오른쪽을 가리키며 혜미가 소리쳤다. 혜미 손가락을 따라 내 오른손 손목에 시선이 갔다. 이제야 손목에 느껴지는 뜨거운 열감에 화들짝 놀라 팔을 들었다.

"앗 뜨거워!!!"

뒤늦은 탄성도 함께 나왔다.

"아하학학학!!! 끅끅... 정은채 얼마나 맛있었으면 본인 손목 굽는지도 모르냐! 아 너무 웃겨!"

역시 진정한 친구답게 내 아픔을 보며 자지러지게 웃는 은비였다. 그리곤 무심하게 툭 하고 국물이 뚝뚝 흐르는 김치 한 조각을 상처 부위에 올려줬다. 김치를 아이스백에 넣어온 덕인지 아직 찬기가 남아있어 차가웠다. 묽어진 양념 아래로 반투명하게 배추 줄기의 허연 색감이 눈에 들어왔다.

"먹어보니까 아직 차더라! 얼음은 없고 그거라도 대고 있어라~"

김치를 와그작와그작 씹으며 은비가 말했다. 고기 대신 지진 손목부터, 얼음 대신 올린 아삭한 김치 줄기까지 어이없어서 웃음이 안 터져 나올 수 없었다. 이상하고 또 이상하지만 결국 말이 되어가는 이 자연스러움이 생소하면서도 반가웠다. 그래서 갑자기 깔깔깔 웃음이 터져 나왔다. 그런 나를 남은 두 명이 쳐다보더니 전투적으로 먹던 젓가락질을 멈추고 따라서 깔깔거렸다. 나를 시작으로 우리 셋은 각자의 웃음 포인트 아래 한참을 깔깔거렸다.

과자까지 배부르게 먹고 1시간 정도를 더 빈둥댔다. 뜨거운 해도 서서히 사라지니 슬슬 눈꺼풀이 무거워졌다. 고단하면서도 알찬 하루에 더 지체했다가는 이곳에서 잠들 것만 같았다. 정수리가 바닥에 닿을 듯 구부정한 허리로 앉아 졸고 있는 혜미를 보니, 더 지체할 수 없이 자꾸만 눕고 싶은 몸을 일으켰다. 먹은 것도 치우고 젖은 옷도 차례차례 갈아입었다. 마지막으로 빌려주셨던 파라솔과 돗자리를 탁탁 털어 접고, 아저씨에게 돌려드리는 것으로 자리를 정리했다. 그리고 편히 왔을 때와는 다르게 시내버스를 2번이나 갈아타고서야 집에 도착했다.

"다녀왔습니다."

마치 남의 집에 방문한 손님처럼 조심스럽게 고개를 먼저 빼꼼 내밀었다. 누가 들을세라 소리 안 나게 신발에서도 살짝이 발을 뺐다.

"왔냐?"

갑자기 방문을 열고 휙-하니 나오는 오빠 때문에 순간 놀라서 자빠질 뻔했다. 오늘따라 모자가 돌아가며 왜 이렇게 나를 놀라게 하는지 모르겠다. 엄마한테 놀랐던 감정까지 애먼 오빠에게 담아 뾰족하게 물었다.

"깜짝이야! 엄마는?!"

들어오면서 빨간 등산화가 보이지 않아 예상은 했다. 하지만 혹시나 하는 불안함에 오빠에게 2차 확인을 했을 뿐이었다. 그리고 대답은 내 예상과 같았다. 드디어 내 집이 내 집처럼 느껴지며 편안해졌다. 방금까지 내 안에 뾰족이 나왔던 가시도 스르륵 녹아 없어졌다.

"흐으음~ 흐음~ 흐음! 흠!"

순간 저절로 튀어나오는 콧노래를 아차 싶어서 끊어냈다. 처음과 달리 표정부터 편안해진 나를 역시 이상하다는 듯이 오빠가 쳐다봤다. 그 찌푸려진 미간이 마치 형사가 범죄자를 심문하는 것 같았다. 오빠랑 더 있다간 무슨 말실수라도 해버릴 것 같았다. 그래서 얼른 눈을 동그랗게 뜨고 눈썹을 올리며 얼굴에 물음표를 달았다. 그렇게 아무 일도 없었다는 듯이 지나쳐 방으로 쏙 들어왔다.

"후아... 다사다난한 하루다."

침대에 등을 댄 채로 바닥에 앉아 허공을 바라보며 말했다. 하얀 천장처럼 마음도 머리도 백색으로 뒤덮이는 듯했다. 그래서 눈을 감고 하얀 도화지에 그림을 그리듯 오늘 하루를 다시 스케치했다. 늦지 않으려 열심히 밟아간 갈색 보도블록, 신나는 음악을 배경으로 재잘댔던 차 안, 햇살 아래 개나리처럼 따스했던 가족, 지글거리며 익어가던 선홍빛 삼겹살, 그리고 얼음처럼 시원했던 김치 한 조각까지. 아찔했지만 엄마 모르게 해냈다는 안도감까지 더해지자 웃음이 지어졌다.

'이대로 오늘을 행복하게 마무리했으면...'

나른해진 몸과 무거워진 눈꺼풀이 창밖 노을을 따라 자꾸만 가라

앉았다. 한 40분쯤 지났을까. 현관문 도어록 소리가 들렸다. 그리고 익숙한 발걸음 소리가 현관문을 벗어나기도 전에 나는 몸을 일으켜야 했다.

"정은채!!!!!"

빨간 불이 들어온 듯한 엄마의 날카로운 목소리에 등골이 서늘해졌다. 나의 직감이 틀리길 바랐으나, 눈치 없이 예리했다. 그리고 이 사달을 낸 범인도 알게 됐다. 학원 재보충 안내 문자가 학부모에게 간다는 것을 처음 알았다. 결국, 완벽하게 마무리할 수 있을 것 같았던 내 첫 일탈은 벌거벗은 듯 엄마 앞에 드러났다. 새 학기 교장 선생님 연설만큼 긴 잔소리가 자기 전까지 이어졌다. 덧붙여 핸드폰도 한 달간 뺏겼고, 학교건 학원이건 엄마가 직접 데려다주고 데리러 오셨다.

이제 3일 지났을 뿐인데 앞으로의 27일이 지옥 같았다. 핸드폰이 없으니 하루가 72시간 같았고, 등하굣길은 몸은 편해도 마음은 불편했다. 어제는 서늘한 집안 공기가 갑갑해서 학원에서 늦게까지 자습을 했다. 이렇게 학교와 학원이 좋았던 적이 있었나 싶을 정도로 남의 집처럼 느껴졌다. 때로는 이렇게까지 할 일인가 싶어 울컥 올라왔다. 오늘도 그런 날 중 하루였다. 기말고사를 앞두고 쪽지 시험도 만점 맞았는데, 그다지 기쁘지 않았다.

"다녀왔습니다..."

듣는 이 없는 공허한 공기 사이로 힘없이 인사를 했다. 돌아올 대답이 없을 것을 알기에, 곧장 내 방으로 들어갔다. 그리고 문 바로 옆모서리에 주저앉아 눈물을 찔끔 흘렸다. 뒤늦은 후회, 엄마에 대한 서운함, 무거운 집안 공기, 나만 아는 점수... 등 복잡한 감정들이 또르르 볼을 타고 흘러내렸다.

계속되는 눈물에 손바닥을 휴지 삼아 대여섯 번 눈가를 훔치던 때였다. 벌겋게 손목에 한 줄로 자리 잡힌 화상 자국이 눈에 들어왔다. 엄지손가락 한마디 크기의 마치 짧고 통통한 지렁이 같았다. 가만히 바라보고 있자니 시원하고 매콤한 김치 내음이 코끝에서 느껴지는 듯했다. 얼마 안 지난 화상 자국처럼 덜 익은 배추 내음 같았다. 그 향기를 따라 서서히 눈을 감았다. 며칠 전 그날의 계곡이 떠올랐다. 오늘 점심시간 혜미 말처럼 올해 들어서 가장 즐거운 날이었다. 친구들과 느끼는 새로운 유대감이었고, 처음 느껴보는 고기 맛이었다. 그렇기에 나는 시간을 되돌려도 또다시 35km를 달려 계곡을 갈 것 같았다. 비록 뒤에 감수해야 할 부분들도 잇따라왔지만, 그 하루는 나에게 그만한 가치가 있는 날이 되었기 때문이다. 그동안 친구들 사이에서 느꼈던 불안정함을 해소했고, 반복되는 일상에서 벗어나 새로움을 경험했다. 당일에는 내 손목의 흉터가 엄마의 뜻을 거슬러서 받은 벌인가 싶었다. 하지만 지금은 그 용기를 기억할 훈장처럼 보였다. 그래서 이 시간이 억울하지 않았고, 다음에는 떳떳하게 내가 원하는 것을 경험하고 싶어졌다.

그렇게 내 삶에서 어떤 모양의 훈장을 또 얻어올지 생각하다 잠이 들고 말았다. 벽에 기대앉아 선잠을 잔 지 두어 시간 후였을까? 누군가가 인기척 없는 내 방문을 열고 들어왔다. 내가 좋아하는 매콤 달콤한 떡볶이 냄새도 함께 들어왔다. 맛있는 냄새를 가진 발걸음이 멀어졌다 다가오더니 내 어깨에 포근한 담요를 두르고 사라졌다. 그래서인지 유독 이날 밤 내 꿈은 포근하고 달콤한 기분이었다.

아기 달님의 보물찾기

문승현

문승현　세상을 밝고 아름답게만 보고 싶은 '낙천주의자 호소인' 고1 할아버지 댁에서 치르는 장례를 보고 한때는 장의사를 꿈꿨던 여고생으로 죽음의 미학에 대한 호기심이 많았다. 누구나가 언젠간 마주쳐야 할 사랑하는 사람과의 영원한 이별을 맞이하는 일이 슬픔으로만 채워지지는 않길 바라는 마음과 사랑스러운 아이들에게 "네가 어떻든 넌 엄마의 최고 보물"이라는 사랑의 메시지를 전하고 싶다. 영원히 철들고 싶지 않은 피터팬증후군을 앓고 있는 행정부지방공무원이자 이 글의 주인공 루나 엄마.

인스타그램: @minimellmoon
이메일: minimellmoon@gmail.com

"엄마 안녕"

마지막 인사 후 나의 눈동자가 서서히 꺼져가며 내 심장의 속도를 재어주던 기계는 드디어 울음을 멈췄다. 짧았던 지상에서의 생활을 마치고 하얀나라를 갈 준비를 마치고 있었다. 이 순간 울고 있었던 건 오직 한 사람 우리 엄마뿐 이었다.

모르겠다. 엄마는 소리 내어 울지도 그렇다고 눈물을 흘리지도 않았지만 애써 올려보려 했던 입꼬리가 겨울 바다를 집어삼킨 듯한 시린 눈동자가 떨리며 잠겨있는 목을 가다듬고 겨우 내뱉는 목소리가 아무리 하얀나라의 여행에 설레어있는 나라도 엄마가 울고 있다는 사실을 눈치채기에 충분했다.

나의 몸이 차갑게 식어버리기 전 엄마는 내 귀에 대고 속삭였다.

"엄마가 루나 엄마라는 건 영원히 변하지 않아. 변한 건 잠시 우리의 형태뿐인걸.

우린 영원히 함께 할 거야 사랑해 루나야."

엄마의 마지막 말이 끝나자마자 내 몸에 무겁고 거추장스러운 것들이 한 꺼풀 한 꺼풀 벗겨지고 내 몸은 순수한 알몸이 되어 구름처럼 가벼워져 하늘 위로 둥실둥실 떠올랐다.

어젯밤 내린 비 때문인지 만개했던 벚꽃들은 꽃비가 되어 흩날렸다.

천왕성이 엄폐되는 특별한 보름날에 태어나 루나라는 이름을 갖게 되었는데 하얀나라로 가는 날도 윤달 보름날이었다. 내가 이날을 선택한 것은 보름에 태어나 보름에 떠나는 사람에게 주어지는 특권인 달님 될 수 있는 권리를 누리고 싶어서였다. 생각만 해도 설레는 일이었다.

달의 기운이 꽉 찬 내가 하얀나라로 올라가는 길이 춥지는 않을까 걱정했던 엄마를 생각해

햇살로 가득한 오후 2시 라일락 향기가 가득한 벚꽃비의 환대를 받으며 천천히 천천히 하얀나라로 올라갔다. 이것이 지금 내가 엄마에게 할 수 있는 유일한 효도인 셈이었다.

내 이름은 루나 29주 2일 만에 세상에 나왔다. 보통의 친구들이 40주가 되어야 엄마 뱃속에서 나간다는 사실을 이미 엄마 뱃속에서 나간 이후에 알아버렸다.

후회해도 소용없었다. 너무 급하게 나온 나머지 엄마, 아빠에게 드릴 선물을 미처 챙기지 못했고 내가 지상을 살아가며 지니고 있어야 할 보물들도 가져오지 못했다.

그뿐만이 아니었다. 나는 다른 친구들보다 10센티 정도 작았고 몸무게는 1/3 채 안 되었다.

내 완전하지 못한 모습도 엄마, 아빠는 사랑해 주시겠지만 나는 조금 더 천천히 준비된 모습으로 엄마, 아빠에게 오는 법을 배우고 싶었다. 그리고 선물 보따리를 챙겨서 다시 만날 엄마, 아빠를 두 배로 웃게 해 줄 거야. 마음속으로 다짐했다.

내가 지상에서 처음 엄마, 아빠를 만난 날과 같이 유난히 밝은 달이 떠오른 밤 드디어 하얀나라에 도착했다. 문 앞에 도착하자 나를 반기는 건 바느질 자국 하나 없는 새하얀 한복을 입고 있는 할아버지였다. 나는 할아버지를 처음 보았지만 날 마중 나온 할아버지가 우리 할아버지란 걸 단박에 알아차릴 수 있었다. 가로로 넓게 찢어진 채 눈웃음치는 눈매 중저음의 부드러운 목소리 머리카락만 하얀 아빠 모습. 나는 할아버지의 푹신한 한복 품으로 파묻히듯 안겼다.

"할아버지 루나 왔어요."

할아버지는 내가 하얀나라로 오늘 걸 이미 알고 있었던 듯 보였다. 할아버지는 내 양쪽 겨드랑이를 잡고 나를 하늘 높이 번쩍 들어 올린 채 내 눈, 코, 입이 뚫릴 듯 번갈아 쳐다보다가 이내 입이 귀에 걸릴 듯 환한 웃음으로 말씀하셨다. 그 순간 할아버지는 분명 하트 눈을 하고 있었다.

"아고 우리 똥강아지 루나 왔구나, 할비가 기다리고 있었단다. 어서 오렴."

할아버지는 엄마, 아빠처럼 애써 슬픈 눈을 감추며 웃는 것이 아닌 정말 행복한 웃음으로 나를 환대해 주셨다. 아마 이미 하얀나라에서 지내고 있는 할아버지에게는 이곳이 지상에서 지내고 있는 사람들에게 의미하는 영원한 이별을 의미하는 것이 아닌 재충전의 시간일 이란 걸 잘 알고 계셔서 일 것이라고 나는 생각했다.

할아버지에게는 나의 계획을 일일이 설명할 필요는 없었다. 사실 엄마, 아빠를 설득하는 데엔 149일이 걸렸다. 나는 달님이 될 자격이 있고 달님이 되어 세상 구경을 좀 더 하고 싶다고 그 후에 더 많은 선물은 챙겨서 꼭 다시 엄마, 아빠에게 오겠다고 이것이 엄마, 아빠에겐 그토록 쉽게 받아들이기 힘들 제안이었는지 나는 이해하기 힘들지만 그래도 내가 지금 이렇게 하얀나라에 도착해 있는 걸 보니 내 마음이 통해 엄마 아빠도 결국 이해해 주셔서겠지.

하얀나라에서의 생활은 기대 이상이었다.

아빠가 늘 말씀만 해주셨던 어흥 호랑이 등에 올라다 매앰매앰 매미를 잡으러 갔다. 할아버지는 어딜 가나 함께해 주셨다.

할아버지가 말로만 듣던 알록달록 커다란 꽃무늬 모양의 솜사탕을 사주셔서 그 꽃 한 송이를 실컷 먹었다. 엄마였다면 잔소리를 하셨겠지만 이곳 하얀나라 할아버지 곁이라면 뭐든 가능했다. 역시 하얀나라로 오길 잘했다는 생각이 들었다. 해님이 떠 있는 낮 시간에는 이렇게 할아버지와 일상을 보냈고 해님이 돌아오면 나는 달님이 되어 하늘 위를 둥실둥실 떠다니며 세상을 구경했다.

그날 밤 나는 보름에서 오른쪽 절반이 딱 잘려나간 반달 모양으로 어느 수풀 하늘 위를 둥둥 떠다녔다. 그 순간 낮에 올라탄 호랑이와 비슷하게 네 발로 걷고 있는 한 동물 발견했다.

커다란 뿔이 멋진 코뿔소였다.

그렇게 멋진 코뿔소를 감상하고 있을 때 코뿔소는 한숨을 쉬며 말했다.

"에휴 무겁고 거추장스러운 코 뿔 대신 날카로운 이가 있었으면 좋겠어."

그 옆 친구 코뿔소가 거들며 말을 이었다.

"난 이 뚱뚱한 몸과 짜리몽땅한 다리 대신 날씬하고 날렵한 몸과 다리를 가져 빨리 달리고 싶어!"

나는 코뿔소들의 대화를 듣다가 생각했다.

"호랑이에겐 크고 멋진 이가 있었지만 멋진 뿔은 없었어. 하지만 저 코뿔소에겐 멋진 뿔은 있지만 멋진 이는 없구나."

달님 놀이가 끝나자마자 나는 할아버지에게로 달려갔다. 그리고 그날 밤 있었던 이야기를 할아버지에게 전해주었다.

"할아버지 코에 뿔이 엄청 크고 멋진 거대한 코뿔소를 봤어요. 보자마자 멋져서 감탄이 절로 나왔는데 그 코뿔소는 한숨을 쉬며 말했어요. 자신은 멋진 이를 갖고 싶은데 거추장스러운 뿔 뿐이라구요. 저는 이해가 가지 않았어요 사실 낮에 함께 매미를 잡으러 다녔던 호랑이는 멋진 뿔이 가지고 싶다고 말했거든요.

할아버지는 말씀하셨다.

"루나야 완벽함이란 존재하지 않는단다.

세상의 모든 사람도 그렇단다. 한 사람이 모든 재능과 재주를 가지기는 어려운 일이란다.

하지만 인간이든 동물이든 자신이 가진 것에 대한 감사함보다는 자신은 가지지 못한 남의 것을 욕망하며 자신이 가진 것에 대한 소중함을 잃어버리는 경우가 많아.

루나야 자신이 가진 것을 있는 그대로 사랑하고 감사하는 마음을 가지는 아이가 되길 할아버지는 바란다. 솜은 부드럽지만 날카롭지 못하고 칼은 날카롭지만 부드럽지 못하지. 세상에 부드러우면서 날카로운 것이 존재할까 솜은 솜대로 칼을 칼대로 자신의 역할을 하며 살아가면 되는 거란다."

나는 생각에 빠졌다. 난 다른 친구들보다 약했고 작았다. 사실 비교가 되기도 했다 우렁차게 우는 친구들 사이에서 내 목소리는 목 안으로 점점 기어가는 듯했다. 어쩌면 날카로운 이를 가진 호랑이가 멋진 뿔을 가진 코뿔소를 부러워하듯 어쩌면 나도 내가 가진 장점들을 인식하지 못한 채 내가 가지지 못한 남의 것만 보고 나 자신을 미워한 것은 아닌지

나는 할아버지의 말씀이 나의 부족하고 모자란 부분을 따뜻하게 감싸 안아주는 솜이불 같았다.

"할아버지 루나는 결심했어요. 제 자신을 있는 그대로 사랑할래요.."

할아버지는 옅은 미소를 띠고 나지막이 말했다.

"우리 루나의 보물 하나가 채워진 것 같구나."

햇살이 가득한 어느 날 나는 알록달록 색동옷을 입고 하얀 국화를 한 아름 안은 채 할아버지와 구름다리를 건넜다. 오늘은 할아버지의 절친한 친구 할아버지의 생신잔치가 있는 날이다. 맛있는 음식을 잔뜩 먹을 생각에 들떠 발이 땅에 닿질 않았다. 둥실둥실 들뜬 내 마음처럼 내 발도 동동 떠 할아버지 친구 댁에 도착했다.

세상에 내가 지금껏 보았던 그 어떤 집보다 아니 내가 상상해 보았던 그 어떤 집보다 으리으리한 커다란 집이었다. 대문에는 코끼리 두 마리가 지키고 서 있었고 커다란 대문은 금으로 만들어져 있었다. 널찍한 마당에 한가득 차려져있는 잔칫상에 홀려 하마터면 저 멀리 보이는 금은보화가 주렁주렁 달린 지붕을 못 보고 놓칠 뻔했다.

나는 화려한 보랏빛 비단 옷을 입고 계신 할아버지 친구께 축하드린다는 인사와 함께 국화를 건네 드리고 얼른 안내해 주시는 자리에 앉았다. 부드럽고 촉촉한 갈비찜과 할아버지랑 즐겨먹는 미꾸라지보다 200배는 커 보이는 속이 꽉 찬 물고기 구이도 잔뜩 먹었다. 내 배는 풍선을 삼킨 컷처럼 부풀어 올랐지만 달콤한 초코 케이크와 망고도 놓칠 수 없어 휴식으로 야무지게 챙겨 먹었다. 할아버지께서는 평소 잘 먹지 못하는 이 많은 음식을 배불리 먹는 일보다 친구가 더 소중하신 것 같았다. 음식은 쳐다보지도 안은 채 친구와 이야기꽃을 피우며 아이같이 천진난만한 웃음으로 환히 웃고 계셨다.

집으로 돌아오는 길 할아버지께 물었다. "할아버지 친구는 어떻게 하다가 저렇게 으리으리한 집과 보랏빛 비단 옷을 가지게 되신 거예요?" 할아버지는 친구가 자랑스럽다는 듯 한층 높아진 목소리로 대답했다. "저 친구는 지상에서 본인 한 몸을 바쳐 많은 사람들의 목숨을 살린 의인이란다. 하얀나라에서는 그런 의인들을 생명록이란 곳에 기록해 두고 많은 혜택을 누릴 수 있게 해준단다. 정말 멋있는 친구야. 루나에게 꼭 소개해 주고 싶은 할아버지 친구였는데 좋은 기회가 생겨 기쁘구나."

그날 밤 나는 야리야리한 그믐달 모양으로 은은한 빛을 내며 어느 조용한 숲속 하늘에 둥둥 떠있었다. 그 순간 나란히 자리 잡은 측백나무와 소나무의 대화소리가 들려왔다.

"소나무야 너는 어쩜 이렇게 크고 무성하니 네가 건강하니 내가 너무 기뻐 우리 오래오래 함께 하자."

40미터는 족히 넘을 것 같은 무성한 소나무에게 25미터 정도 될 듯한 측백나무는 진심 어린축하를 해줬다.

"측백나무야 고마워하지만 넌 보통의 측백나무가 내 절반 정도 밖에 못 자라는 것에 비해 넌 나와 눈을 마주치고 대화를 나눌 수 있을 만큼 크게 자라니 않았니? 너의 노력과 열정을 늘 응원해 멋있어 친구 우리 오래오래 함께 하자!"소나무도 그런 측백나무에 화답했다.

나는 생각에 빠졌다. 친구라니. 내게도 친구가 있었으면 좋을 텐데... 할아버지에게도 좋은 친구가 있었고 측백나무와 소나무의 관계도 부러웠다.

달님 놀이를 마치고도 계속 생각에 빠져 평소보다 조용한 내게 할아버지는 달콤한 솜사탕을 건네며 말씀하셨다. 며칠 전만 해도 달달한 천사의 날개털 같던 솜사탕은 기분 탓인지 악마의 코털같이 느껴졌다. 할아버지는 입이 코끝까지 튀어나온 나에게 물으셨다.

"우리 루나 어젯밤엔 달님 놀이를 하며 어디를 여행했니?"

갑자기 코끝이 시큰거리더니 눈물이 왈칵 쏟아질 것 같은 걸 간신히 참아내며 대답했다.

"할아버지 어제 나무 친구들이 이야기하는 걸 들었어요. 소나무보다 작은 측백나무가 소나무의 크고 무성한 걸 아주아주 기뻐하면서 오래오래 함께 하자고요.

부끄러웠어요. 저에겐 그런 친구도 없을뿐더러 사실 제가 작고 약하다는 이유로 크고 튼튼하게 태어난 친구들이 부럽고 질투가 났어요. 그래서 어쩌면 하얀나라로 도망쳐버린 건지도 모르겠어요."

할아버지는 왜인지 자책하며 슬퍼하는 나의 모습을 흡족해하는 듯 바라보며 말씀하셨다.

"사랑하는 루나야 측백나무가 자신보다 훨씬 크고 무성한 소나무를 진심으로 축해해 줄 수 있었던 이유가 뭘까? 측백나무는 보통 20미터 정도 자란단다. 하지만 오늘 루나가 보았던 측백나무는 25미터 정도였지 보통의 키보다 더 크게 자라기 위해서 그 측백나무는 무던히 노력했던 거야 그 결과 원래 훨씬 크게 자라는 소나무보다는 작지만 측백나무 나름대로의 최고의 크기였던 거야.”

할아버지 말씀이 끝나자마자 머릿속에 종이 울렸다. 까맣게 채워진 내 머리 속에 작은 촛불 하나가 켜지더니 점점 밝아있는 것이 느껴졌다.

“할아버지 저 이제 알겠어요. 측백나무가 진심으로 소나무를 축하해 줄 수 있었던 이유를요.

측백나무는 자신의 인생에 최선을 다하며 살았던 거예요. 그러니까 마음이 예뻤어요. 맞죠.?“

나는 정답을 맞혔다는 듯 긴장하며 설레는 마음으로 할아버지를 올려다보았다.

그런 내가 사랑스럽다는 듯 내 머리를 쓰다듬어 주시며 말씀하셨다.

“타인의 축복을 진심으로 축하하며 응원해 줄 수 있는 사람은 본인 자신도 자신의 삶에 최선을 다하며 만족하는 삶은 사는 사람인 거야. 할아버지는 루나가 타인을 티 없이 축복해 주는 삶을 살았으면 한단다.

마음속에 뾰족했던 마음이 조금씩 다듬어지는 것 같았다.

나는 지난 달님놀이를 하며 여행했던 곳곳에서 나는 세상을 살아가며 지니고 있어야 할 보물이 무엇인지 조금을 알 것 같았다.

오늘은 삭이라고 한 달에 하루 보름과는 반대도 달이 뜨지 않는 날이다.

그래서 오늘은 해님이 돌아와도 달님 놀이를 하러 가지 않고 하루 종일 할아버지와 보낼 생각에 들떠있었다. 그래서 평소보다 조금 더 늦게 아침을 맞이했다.

할아버지와 하고 싶은 일을 꼽자면 열 손가락 열 발가락을 다 합쳐도 셀 수가 없지만 오늘은 미꾸라지를 잡으러 강가에 가기로 했다. 어느 한적한 강가 평평한 잔디 위 자리를 잡았다.

반대편 산 위에 어느 아저씨가 아들 두 명을 데리고 산을 파고 있는 모습이 보였다.

"할아버지 저기 보세요. 저 아저씨가 아들과 산을 파고 있어요. 도대체 뭐 하는 걸까요?"

"산을 평평하게 만들어 길을 내려는 거란다. 아마 산이 평평한 길로 변하면 집을 드나들기가 편해져 살기가 훨씬 좋아질 거야."

"그런데 저렇게 커다란 산을 고작 사람 세 명의 힘으로 평평한 길로 만들 수 있을까요?

저 아저씨는 아마도 어리석은 사람 같아 보여요 불가능한 것을 가능하리라 믿고 저게 가능할 리가 없잖아요!"

할아버지는 의미심장을 웃음을 띠고 내게 말씀하셨다.

"루나야 한번 지켜보자꾸나." 산을 옮긴다니 나는 그 말도 안 되는 아저씨의 포부에 키득키득 웃음이 났다. 그사이 강가에 내려앉은 통발은 미꾸라지로 가득 찼다. 할아버지와 불을 피워 미꾸라지를 구워 먹으며 아까 그 산 쪽을 바라보았다. 눈을 비비고 다시 보고 큰 눈을 껌뻑 거려 더 크게 뜨고 다시 보았지만 산이 없었다.

말도 안 되는 일이 벌어졌다. 가슴이 쿵쾅쿵쾅 큰북 작은북이 번갈이 배 안에서 움직이는 것 같았다. 멍하니 산이 있던 자리를 바라보며 입을 다물지 못하는 날 보며 할아버지는 말씀하셨다.

"루나야 보거라 남들이 보기에 어리석어 보이는 일일지라도 본인이 그것에 대한 믿음을 가지고 꾸준하게 하다 보면 결국 이뤄낼 수 있는 거란다. 우리는 무슨 일을 하든지 자신이 하는 일에 대한 믿음을 가지고 열심히 노력해야 해. 그러면 결국 그 일을 해낼 수 있는 힘이 생기는 거란다. 그리고 상대방이 열정을 가지고 하는 일을 함부로 무시해서도 안 돼. 그건 상대방을 무시하는 무례한 행동일 뿐만 아니라 자신을 깎아내리는 부끄러운 행동이란다."

나의 놀란 입은 천천히 다물어졌고 가슴도 진정된 듯했다.

열심히 산을 파고 있던 아저씨의 모습과 정말 사라져 버린 산이 계속 생각났다.

할아버지와 실컷 구워 먹고도 잔뜩 남은 물고기를 할아버지는 들에 짊어지고 나는 안고 해가 지는 노을을 뒤로한 채 집으로 걸어갔다.

"그래 맞아 산을 옮기겠다고 결심한 그 아저씨처럼 자신을 믿고 열심히 노력하는 거야 그러면 남들이 말도 안 된다고 비웃었던 일도 멋지게 해 낼 수 있는 거야. 누구나 아는 토끼와 거북이의 경주 이야기처럼 타고난 재주를 성실함이 이긴다고 엄마가 이야기해 주신 것이 생각났어.!" 나는 달님 놀이를 하며 그리고 할아버지와의 여행과 대화를 통해서 내가 세상을 살아가며 지녀야 할 보물들이 무엇인지 조금을 알 것 같다.

집에 도착해 보글보글 거품 목욕을 하며 비눗방울 만들며 놀았다. 거품을 머리 한가운데로 모아 머리카락을 하늘 높이 고정시켜 올리며 "키야 커라" 외치며 놀았다. 그런 나의 우스꽝스러운 모습에 키득키득 웃음이 새어 나왔다. 알록달록 거품들로 한쪽 벽에 호랑이랑 코뿔소를 그리며 호랑이에게는 큰 코 뿔을 코뿔소에게는 날카로운 이를 그리며 "너희들의 소원을 내가 들어주마" 혼잣말로 킥킥거리며 놀고 있었다.

"루나야 얼른 씻고 나오렴. 할아버지와 갈 곳이 있단다." 할아버지가 다급하게 부르는 소리가 들렸다. 얼른 몸을 헹구고 나왔더니 할아버지는 평소와는 다르게 긴장하며 바빠 보였다.

그리고 내가 할아버지를 처음 만날 그날과 같은 한복 차림을 하고 머리를 빗고 계셨다.

무슨 날인지 모르지만 나도 할아버지와 같은 바느질 자국 하나 없는 그 한복으로 갈아입고

할아버지와 손을 잡고 하얀나라 입구로 갔다. 할아버지는 내가 처음 보는 모습을 하고 있었다. 할아버지는 오른쪽 엄지손톱으로 왼쪽 검지 손톱을 계속해서 긁으며 입술이 마르는지 침을 계속 발랐다. 그리고 하얀나라 입구에 도착한 지 얼마 지나지 않아 나는 할아버지가 이토록 긴장한 이유를 알 수 있었다.

"어머니!!!!" 할아버지가 하얀나라 대문을 보고 소리쳤다. 하얀나

라 대문이 열리더니 화려한 꽃마차를 타고 곱게 화장한 하얀 머리의 할머니가 보였다. 할아버지의 엄마 그러니까 나에겐 증조할머니셨다. 할아버지는 증조할머니가 꽃마차에서 편히 내리실 수 있게 부축을 해주셨고 35년 만에 하얀나라에서 다시 만난 할아버지와 증조할머니는 변해버린 모습이 어색할 법도 했지만 단박에 서로를 알아보고 부둥켜안았다.

나는 그 광경을 지켜보다가 이내 화려한 꽃마차로 눈이 갔다. 꽃마차 뒤쪽엔 35년간 돌보지 못한 할아버지를 위한 증조할머니의 선물이 가득했다.

"내 거는... 없나...? 까치발을 들고 또 총총 뛰어가며 꽃마차를 둘러보았지만 내 선물은 하나도 보이지 않았다. 삐죽삐죽 거리는 입을 감춰보려 노력하며 감정을 추슬러 보려고 노력했지만 그동안 생각지 못했던 엄마에 대한 그리움이 갑자기 터져버려 서글픈 마음이 들어 으에에엥 엄마아아아 하며 소리 내어 주저앉고 울어버렸다.

할아버지는 놀란 표정으로 나를 들어 안아 달래주셨지만 왠지 증조할머니는 온화한 미소 뒤에 감춰진 본심이 있는 듯 보였다.

엄마....?나에게도 엄마가 있다. 하얀나라에서 정신없이 달님 놀이를 하고 할아버지와 여행을 다니느라 잠시 잊고 있었던 엄마가... 할아버지와 증조할머니가 지난 긴 세월 동안 못다 한 이야기를 나눌 동안 나는 왼쪽 절반이 잘려나간 반달 모양으로 달님 놀이를 나갔다.

"오늘은 엄마가 계신 곳으로 가야겠어." 하얀나라에 와서 달님 놀이를 하며 여러 곳을 여행하는 동안 엄마 생각을 못 했다는 사실에 조금 죄송한 마음이 들었지만 그래도 내가 이곳 생활을 잘 적응해가며 즐거웠던 방증이라 여기며 내심 자기합리화를 해 보았다.

둥실둥실 달님이 된 후 처음으로 엄마에게 가는 길은 가벼웠다. 덩실덩실 신이 났다.

"어 엄마다 우리 엄마다!!" 반가운 마음에 소리를 치다가 이내 엄마가 들을세라 쉿 조용히 엄마를 밝혀주고 있었다.

벤치에 앉아 하늘을 바라보는 엄마와 정면으로 눈이 마주쳤다. 더욱더 반짝반짝 빛을 내며 엄마를 비춰주었다.

"루나야 사랑해." 엄마목소리가 들렸다.

"루나도 엄마를 사랑해요."나는 작게 속삭였지만 아마 엄마는 듣지 못하셨을 것 같다.

한참을 공원 벤치에 앉아 있던 엄마는 집으로 돌아갔다.

나는 아파트 입구까지 들어가는 엄마를 배웅해 주다가 집안이 잘 보이는 테라스 편에 둥실둥실 떠서 엄마를 비추고 있었다.

엄마는 현관에 들어서자마자 현관 옆 화장실에서 손을 씻었고 그 옆 방문을 똑똑똑 노크했다. 아빠는 아직 퇴근할 시간이 안됐는데 누가 집에 와있는 건가? 생각하던 찰나 방문이 열렸고 나는 깜짝 놀랐다. 나는 집에 한 번도 와 본 적이 없었기 때문에 내 방이 있는지 알 수도 없었다. 방금 내가 뭘 본거지? 눈이 휘둥그레졌고 심장이 쿵쾅쿵쾅 뛰었다. 하얀나라로 올라가며 설렜고 여러 곳을 여행하며 즐거웠다 할아버지가 주시는 달콤한 것들에 엄마가 곁에 없는 게 다행이다 생각한 적도 여러 번 있었다. 엄마는 단 한순간도 날 잊은 적이 없었다. 내가 100일 날 입었던 옷은 내 머리카락이 묻은 채 그래도 전시되어 있었다. 봄에 떠난 내가 춥진 않을까 가을이 되기 전 사놓은 내방에 걸린 겨울 점퍼를 보다 나도 모르게 으아아앙 눈물이 났다.

　엄마는 늘 그래 왔던 것처럼 해가지자 내방에 블라인드를 치고 나에게 인사 후 거실로 나왔다. 현관에서 삐비빅 소리음과 함께 아빠가 퇴근하시고 돌아왔다. 내가 아까 잠깐 울음을 터트린 탓인지 아빠는 비에 젖은 어깨를 툭툭 털며 현관문을 열고 들어왔고 한 손에는 크레파스와 그림책이 들려져 있었다. 엄마는 아빠의 손에 들린 내 선물을 보곤 눈은 울고 입은 웃고 계셨고 그런 엄마를 아빠는 말없이 안아 주었다. 내 방에 그렇게 또 하나의 나의 선물이 채워졌다. 엄마 아빠를 떠나온 지 얼마가 흘렀는지는 정확히 세어보지 않았다. 아마 떠나온 그날 벚꽃비가 내린 걸 보니 따스했던 봄이었고 이제 제법 쌀쌀해진 것 같다. 달님 놀이를 마치고 할아버지와 증조할머니를 뵈러 갔다. 할아버지는 잠깐 외출을 나가셨고 증조할머니는 장작에 고구마를 굽게 계셨다. 내가 집에 도착하자 증조할머니는 잘 익은 고구마 껍질을 까서 내가 한입으로 먹을 수 있을만한 크기로 떼어 호호 불어 입에 넣어주셨다. "루나 혼자서도 잘 먹을 수 있어요." 나는 어젯밤 꽃마차에 아빠 선물로만 가득 채워 하얀나라로 오신 증조할머니에게 아직까지 서운한 맘이 들어 증조할머니가 건네주는 우유를 증조할머니 눈도 마주치지 않은 채 양손으로 잡고 꿀떡꿀떡 삼키고 있었다. 그런 내가 귀엽고 사랑스럽다는 눈빛으로 할머니는 말을 꺼냈다.

"루나야 엄마 아빠 안 보고싶니? 사실은 증조할머니가 하얀나라로 오기 전 루나 엄마 아빠랑 약속한 것이 있단다. 루나야 엄마 아빠 곁으로 가렴 하얀나라도 좋은 곳이지만 지상에서 100년 가까이를 지내고 온 할미로서 너에게 해주고 싶은 말은 엄마 아빠 곁이 가장 좋은 곳이란다. 이 증조할미는 네 할아버지와 오랫동안 함께 하며 돌봐주지 못한 것이 한이란다. 앞으로 이 하얀나라에서 오래도록 함께하며 네 할아버지와 못다 한 추억을 쌓고 싶구나. 루나의 선물은 이 증조할머니가 가져오지 않아도 지상에 루나 방에 수북이 쌓여 있단다. 그곳으로 가렴."

나는 깊은 고민에 빠졌다. 사실 증조할머니가 이야기해 주시지 않으셨더라도 나는 눈치를 챘다. 증조할머니가 나의 선물을 하나도 가져오지 않은 이유를 그리고 마음속에 점점 싹트고 있는 엄마 아빠에 대한 그리움을 그리고 지난번 달님 여행에서 보았던 나를 향한 엄마 아빠의 끝없는 사랑을. 하지만 달님 놀이를 하며 더 많을 세상을 여행하고 더 많은 보물을 찾아 엄마 아빠에게로 가는 것도 좋지 않을까? 머릿속이 복잡해졌다.

달님이 된 나를 보며 엄마가 하신 말씀이 계속 떠올라 잠을 설쳤다.

" 따뜻한 루나를 만지고 싶어." 따뜻한 루나... 따뜻한 루나...

생각이 깊어져 눈앞에 차려진 돼지통구이도 커다란 포도도 맛있겠다는 생각이 들지 않는 며칠이 흘렀다. 드디어 나는 결심했다. "엄마, 아빠를 만나러 다시 지상으로 내려가겠어요." 내 결심을 들은 할아버지는 처음 내가 하얀 나라에 도착했을 때와 같은 환한 미소를 지으셨고 증조할머니는 기쁨의 눈물을 흘리셨다. 아마도 할아버지는 내가 결국 이렇게 다시 지상으로 내려갈 것이란 걸 처음부터 알고 계신 듯했고 증조할머니는 내가 정말 여기 눌러 살까 봐 그래서 엄마 아빠의 소원을 들어 줄 수 없을까 봐 내심 걱정이 많으셨던 것 같다.

그동안 모았던 보물들을 주머니에 가득 넣고 흘러내릴까 꽉꽉 묶은 보물주머니를 어깨에 메고 할아버지와 증조할머니 볼에 입을 맞추고 마지막 인사를 나누었다. 보물주머니를 메고 지상으로 내려오는 길 마지막으로 삼신할머니를 만났다. 삼신할머니는 말씀하셨다. 원한다면 지금의 엄마, 아빠가 아닌 다른 엄마, 아빠를 선택할 수 있다는 것. 그리고 내가 지상에 도착해 말을 하게 되는 순간 모든 기억들과 함께 열심히 모은 보물주머니도 사라져 버린 다는 것.

고민할 가치도 없었다. 나는 지금의 엄마, 아빠가 아닌 다른 엄마, 아빠를 상상해 본 적이 없다. 그리고 보물 주머니가 사라지는 건 아쉬웠지만 괜찮다. 우린 누구나 완벽한 채로 태어나 모든 걸 잊어버리고 산다는 걸. 그렇기에 우리는 경험 통해 배우며 완벽해 질 수 있다는 걸 나는 그걸 '가능성'이라 믿어 난 그것만 있으면 돼.

만개한 벚꽃 잎들이 떨어져 벚꽃비가 되어 흩내리던 그날 나도 그 틈으로 살짝쿵 지상에 내려앉았다. 나를 안은 엄마는 봄날의 꽃처럼 환하게 웃으며 말했다. "루나 까꿍"

엄마가 나의 볼을 조심스레 만졌을 때 나는 우렁찬 목소리로 대답했다. "엄마 안녕"

주위를 둘러 아빠를 찾고 있었을 때 창문에 글귀로 만들어진 커다란 풍선을 붙이는 아빠가 보였다. '내 인 생 최 고 의 보 물 탄 생'

키득키득 웃음이 났다. 나도 엄마, 아빠에게 말하고 싶었다. 내인생 최고의 선택은 엄마, 아빠를 선택한 것이라고 그 순간 하늘나라에서 할아버지의 목소리가 들려왔다.

"사랑하는 루나야 넌 그 존재 자체만으로 엄마, 아빠에겐 이 세상 무엇과도 바꿀 수 없는 귀한 보물이란다."

내 어깨에 메어있던 보물들이 하나 둘 사라져 하늘로 올라가 밤하늘의 별이 되었다.

그날 밤은 은은한 초승달을 둘러싼 수많은 별들이 유난히 밝게 빛나고 있었다.

배탈 난 하루

이하루

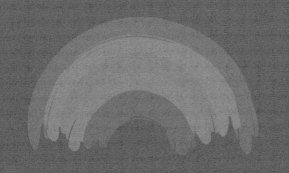

이하루   겉으로 보기에는 조용하지만, 집에 혼자 있어도 몽상을 즐기는 성격으로 평소에도 머릿

속에서 수많은 이야기를 만들어 내곤 한다. 최대한 많은 사람들에게 공감을 부르는 소

재를 찾다가 배탈로 고생했던 날이 기억나 적게 되었다.

오랜만에 가족들과 외식을 했다. 창밖에는 눈이 내리고 음식은 맛있고 완벽한 하루였다. 함박눈은 예뻤지만 집에 들어갈 때 바람이 너무 차가웠다. 오들오들 떨다가 따뜻한 집 안으로 들어오니 몸이 노곤노곤해졌다. 눕고 싶은 마음에 외투만 벗어던지고 바로 침대로 뛰어들었다.

"하루야! 바로 눕지 말고 이랑 손발 닦고 누워!"

방 밖에서 소리치는 엄마의 말이 들리는 듯하다. 하지만 대답은 커녕 손가락 하나 까딱할 힘이 없었다. 그렇게 정신이 아득해지고 기절하듯이 잠에 들었다. 그렇게 푹 잠들었는데 아까부터 배에 알싸한 느낌이 나면서 불편하다. 잠에서 얼핏 깬 상태로 배만 살살 문질러보았다. 이걸로는 부족한가 싶어서 천천히 몸을 왼쪽으로 돌아누워 보니 살짝 나아진 것 같다. 참을 수 없는 졸음에 점점 손이 느려지다 다시 잠에 들었다. 아니, 잠에 들 줄 알았다. 그런데 배가 불편한 느낌을 넘어서 꽈악 조이는 느낌이 나다가 잠깐 아무렇지 않다가 다시 조이는 느낌이 반복되면서 배가 아파온다. 무엇인가 잘못되고 있는 것 같다. 이 통증의 세기가 점점 강해지고 주기가 짧아지고 있다. 계속되는 통증을 무시하고 다시 잠들 수 없어 한쪽 눈을 떠 보았다. 아직 해도 뜨지 않아 깜깜한 방 안이 보였다.

"하……"

한숨이 절로 나왔다. 배는 점점 더 아파지고 식은땀이 주르륵 흐른다. 문지르는 것은 소용이 없는 것 같다. 어떻게 해야 좋을지 모르겠다. 일단 배꼽 위쪽을 손으로 꾹 눌러보았다. 몸을 왼쪽으로 돌려도, 오른쪽으로 돌려도 여전히 아프다. 이젠 방구석 그림자가 빙글빙글 도는 것 같다. 심상치 않게 아파서 머리맡에 던져둔 핸드폰을 더듬더듬 찾았다. 핸드폰 화면을 토독 건드려 잠금 화면을 켜보니 새벽 4시 조금 넘었다. 그제야 집안의 고요함이 귀에 들어왔다. 이 시간에는 가족들 모두 푹 잠들어서 전화 못 받을 것이 분명하다. 갑자기 밝은 빛과 글자를 봐서 그런지 이제는 속도 울렁거리기 시작했다.

'화장실 가서 토 한번 하면 조금 나아질까?'

손에 쥐고 있던 핸드폰은 주머니에 끼워 넣고 이불을 걷었다. 등을 펴려니 배가 더 아픈 것 같다. 굽은 등을 하고 배를 부여잡고 침대를 밀며 힘들게 일어났다. 문으로 한발 한발 내딛는데 내방이 이렇게 컸나 싶다. 힘겹게 일곱 걸음 걸어 문 앞에 도달했다. 문고리를 잡자마자 다리에 힘이 풀려 털썩 바닥에 주저앉았다. 오도 가도 못하고 문고리를 붙잡은 상태에서 팔에 머리를 기대고 고민하기 시작했다.

'힘이 전혀 안 들어가는데 일어날까 말까? 지금 여기까지 걸은 것보다 더 걸어야 화장실인데, 기어서라도 화장실을 갈까 말까? 참으면 나아질까 안 나아질까? 소리치면 가족 중에 한 명은 일어나 줄까'

그런데 이 상태로 잠시 멈춰있으니 바닥의 찬 기운이 엉덩이로 느껴지면서 조금 살 것 같다. 속은 조금 가라앉았지만 배는 여전하고 머리도 무겁다. 문고리에서 손을 떼고 옆으로 스르륵 바닥에 드러누웠다. 찬 기운을 온몸으로 느끼니 눈이 떠지면서 나아진 것 같다. 그래서 괜히 잘 자고 있는 가족들 깨우지 말고 배 아플 때 대처 방법을 검색해 보려고 주머니 속 핸드폰을 꺼냈다. 지금 아파서 그런지 핸드폰도 무겁다. 핸드폰 들 힘이 나지 않는다. 바닥에 두고 손으로 살짝 세워 검색창을 눌렀다. 배 통증을 검색하니 연관검색어에 다들 어디가 아픈지도 함께 검색한 것이 보였다. 그래서 윗배 통증으로 다시 검색해 보았다. 식도염, 담도 간 질환, 위궤양, 위염 등등 보이다 마지막에 위암이 보였다. 왜 이 위암만 유독 크게 보이는 건지 모르겠다.

'설마 나 암이면 어떻게 하지?'

엊그제 친구들이랑 암에 대한 얘기를 했었는데 암에 걸린 사람들이 얼마나 고통스러워하는지, 치료를 해도 안 해도 힘들어한다 했다. 머리카락도 다 빠진다던데. 거기다 본인뿐만 아니라 주변 사람들도 엄청 힘들다 했다. 그때 나는 그냥 그렇구나 하고 넘겼었는데

나 오늘도 이렇게 아픈데 암이면 죽을 때까지 오늘보다 오래 아프다 죽어야 하는 건가 하고 무서워졌다. 그리고 패스트푸드나 길거리 음식이 그렇게 안 좋다고 했는데 요즘 거의 맨날 집에 가는 길에 애들이랑 떡볶이 사 먹어서 이렇게 된 것인가. 죽으면 우리 가족들이랑 친구들과 헤어지는 건데 혼자 모르는 곳에 던져질 생각 하니 무섭다. 나 먼저 갔다고 가족들이 내 장례식에서 펑펑 우는 모습이 상상이 된다. 생각이 꼬리에 꼬리를 물고 멈추질 않는다. 나도 모르게 눈물이 관자놀이를 타고 흘렀다. 울다 보니 코가 막히고 얼굴이 따뜻한 것이 열도 나기 시작한 것 같다. 찬 바닥에 볼 한쪽을 식히는데 배가 다시 아프기 시작했다. 나도 모르게 끙끙 소리가 절로 난다. 눈을 감고 배를 쓰다듬으며 누워있는데 문이 살짝 열리면서 하얀 엄마의 얼굴이 보였다. 부르지 않은 엄마가 보이는데 어두운 방 안이 환해지는 기분이었다.

"어머 하루야! 왜 바닥에 누워있어? 어디 아프니? 배가 아파?"

배를 부여잡고 있는 나를 발견하고는 엄마가 놀랐는지 후다닥 들어왔다. 대답할 기운이 없어 고개만 끄덕였다. 엄마는 땀과 눈물을 닦아주며 나의 상태를 살폈다.

"배 어디가 아파? 배만 아파? 어머 열도 있는 것 같은데? 아픈데 찬 바닥에 누워있으면 안 좋아. 우리 올라가서 쉬자. 응?"

바닥이 시원해서 더 좋다고 대답하기 전에 이미 일으켜 세워져 다시 침대에 돌아갔다. 엄마는 이불을 덮어주고는 체온계를 가지러 나갔다. 엄마가 나간 방문 옆으로 아까는 보이지 않던 책상과 책장이 어름풋이 보인다. 해가 이제 뜨고 있는지 살짝 밝아진 방을 눈으로 훑어보는데 엄마가 다시 황급히 들어와 내 이마에 체온계를 대고 열을 쟀다.

"열은 그래도 많이 높지 않네, 다행이다. 엄마가 화장실 조금만 더 빨리 갈 걸 그랬다. 그럼 우리 하루 더 빨리 발견할 수 있었을 텐데."

늦게 일어나서 미안하다고 하면서 엄마는 내 배를 쓸어주었다. 혼자 있다가 엄마가 와서 안심이 됐는지 아픈 와중에 다시 잠이 오고 있다. 일정한 속도로 배를 쓰다듬어주는 손을 느끼다 다시 잠에 들었다. 자고 일어나니 엄마가 옆에 같이 자고 있었다. 새벽에 나 챙겨주다가 같이 잠든 것 같다. 살짝 흔들면서 깨우니 화들짝 놀라며 일어나시더니 바로 몸 상태에 대해 물어봐 주었다.

"자고 일어나서 몸은 좀 어때? 아직 아파?"

"머리는 이제 괜찮은 것 같아요. 그런데 배는 아직 아파요."

머리 한번 쓰다듬어주시고는 다시 배를 문질러 주셨다. 하지만 시간이 지나도 배 통증은 나아지지 않았다. 그런 나를 안쓰럽다는 듯이 보시다가 벌떡 일어나시면서 말했다.

"안 되겠다. 하루야 우리 빨리 병원 다녀오자."

엄마의 말을 듣자 어렸을 때 갔던 병원이 생각이 나면서 병원의 냄새, 차가운 선생님의 손, 아팠던 주사가 생각이 났다. 그것만이 아니라 친구들에게 들었던 집 근처 병원 후기도 떠올랐다. 우리 동네에는 서늘하고 높은 회색 건물의 병원이 하나 있는데, 그 건물 근처에서는 항상 이상한 냄새가 나고 비명소리와 울음소리가 끊이지 않는 곳이라고 했다. 그래서 어른들도 그 근처는 가지 않거나 빙 둘러 간다 했다.

"병원이요? 아니요! 저 이제 안 아파요. 한숨 자고 일어났더니 안 아파졌어요. 안 갈래요."

난 아프지 않다고 자기 최면을 걸며 눈에 힘주고 엄마를 쳐다보며 말했다. 그런 나를 보며 엄마는 한숨을 폭 내쉬었다. 잠시 고민하셨지만 이윽고 고개를 가로저으며 결심한 표정으로 내 두 손을 잡고 일으켜 세웠다.

"아니야 다녀오는 게 맞는 것 같아. 지금 옷 입고 바로 다녀오자."

다시 누워 시간을 끌어 보려 했지만 택도 없었다. 결국 겉옷을 걸쳐 입었다. 정말로 안 아프고 싶은데 한 걸음 한 걸음 걸을 때마다 배에 큰 충격이 오는 것을 보니 아직도 배가 아프다. 하지만 통증보다 병원이 더 무섭고, 혹시 진짜 죽을병이면 어떡하나 걱정이 앞선다. 큰 병원 가보라고 하면 옆에 있는 엄마한테 뭐라고 해야 하나 싶다. 역시 가지 않는 것이 좋겠다.

"이제 진짜 하나도 안 아파요!"

더욱 고개를 힘차게 저으며 이제 다 나아졌음을 강조했지만 결국 이긴 것은 엄마다. 함께 집을 나섰다. 이대로 포기할 수 없어 병원으로 가는 차 안에서도 가기 싫다고 하고 돌아가자고 말했지만 차는 멈추지 않았다. 하필 이런 날은 신호등도 도와주지 않는다. 급할 때는 매 신호등마다 걸리더니 병원 가는 길에는 빨간 불도 잘 걸리지 않았다. 연속으로 타이밍 좋게 바뀌는 초록불에 예상 도착시간보다 빨리 도착해 버렸다. 결국 병원 건물 앞까지 와버렸다. 도착하자마자, 차가운 병원 공기에 전신에 소름이 끼쳤다. 발이 차마 떨어지지 않아 서있는데 엄마는 그런 나를 데리고 병원 내부로 들어왔다. 긴장감에 접수하는 어머니와 간호사 선생님이 하는 말은 귀에 하나도 들어오지 않았다. 멍하니 병원 내부를 살피고 있는데 갑자기 얼굴로 향하는 무언가에 화들짝 놀라며 쳐다봤다. 체온계를 들고 있는 간호사 선생님의 손이었다. 그것을 확인하고 한쪽 귀를 가져다 대고 열 체크를 하였다. 그리고 엄마와 함께 대기 의자에 가서 앉았다.

"엄마 저 큰 병은 아니겠지요?"

미어캣처럼 작은 소리에도 화들짝 놀라 사방팔방 쳐다보게 된다. 온 신경을 곤두세우다가 엄마에게 물어봤다. 하지만 돌아온 대답은 짧았다.

"엄마는 의사가 아니라 모르겠지만 아닐 거야."

살짝 서운했다. 분명 맞는 말인데 왜 서운한지 모르겠다. 대기실에 앉아있는데 병원 안쪽에서 누군가의 하이톤 비명이 날카롭게 귀에 꽂혔다. 마음이 더욱 심란해졌다. 친구들의 말이 맞았다. 이곳은 비명과 울음소리가 끊이지 않는 장소였다. 안에서 무슨 일이 일어나는 걸까. 다리는 쉴 틈 없이 떨리고 눈은 여전히 주변 살피기 바빴다. 배는 아팠지만 이 정도는 참을 만하다고 생각하며 엄마에게 말했다.

"집에 돌아가면 다 나을 것 같아요. 우리 여기서 시간 낭비하지 말고 지금이라도 집에 가요. 저 이제 진짜 안 아파요."

하지만 엄마는 희미하게 웃으며 손을 꼭 잡아주셨지만 나의 요청은 들어주지 않으셨다. 예약을 하지 않고 와서 그런지 한참을 기다려야 했다. 대기 인원이 많아 너무 오래 기다리니 그냥 집에 가자고 해줬으면 좋겠다.라는 생각을 끝도 없이 하고 있을 때 내 이름이 불렸다. 결국 의사 선생님 옆에 놓인 동그란 의자에 앉게 되었다. 증상을 물어보시고 차가운 청진기로 내 배 소리를 들어보시더니 엑스레이를 찍어보자고 하셨다. 찍으러 나가기 전, 엄마가 앞서 나가고 내가 뒤에 있을 때 새벽부터 궁금했던 것을 여쭈어보려 면 지금이 타이밍인 것 같아 슬쩍 물어보았다.

"선생님…… 저 죽는 거예요?"

의사 선생님은 질문에 대한 답은 하지 않으시고 고개를 살짝 밑으로 숙이셨다. 다시 고개를 들고는 나가서 엑스레이부터 찍고 오면 말해주겠다 하셨다. 명확한 답을 안 주시고 진료실을 나와버려서 심란하다. 엑스레이 찍을 때에도 배 눌러보실 때에도 선생님의 반응이 생각났다. 다시 그 의자에 앉아 듣게 된 말은 결국 주사를 맞아야 한다고 했다.

"하루 죽는 병은 아니고 배탈 난 거예요. 주사 맞아야 할 것 같아요. 주사는 잠시 아플 수 있지만, 그 뒤에는 하루가 안 아프게 만들어 줄 테니까, 너무 걱정하지 마세요."

의사 선생님의 말투가 굉장히 따뜻했던 것 같지만 결국 주사를 맞아야 한다는 말에 다른 말들은 하나도 귀에 들어오지 않았다. 거울을 보지 못했지만 분명 얼굴이 하얗게 변했을 것이다. 주사에 대한 두려움을 감출 수 없었다. 의사 선생님은 우리가 주사실로 가기 전에 말을 걸었다.

"하루야, 네가 좋아하는 이야기나 만화 속 주인공은 누구예요?"

"저요? 제가 좋아하는 주인공은 아이언맨이요."

"아이언맨도 아팠다가 나아지려고 심장 잠깐 꺼냈다가 다시 넣잖아요? 우리도 오늘 아이언맨처럼 용기 내서 이겨내 봐요! 주사를 받으면 하루도 아이언맨처럼 더 건강해질 거예요."

의사 선생님의 이야기에 애써 고개를 끄덕였다. 옆에서 듣던 간호사 선생님이 다른 방으로 안내해 주시면서 말을 걸어 주셨다.

"자, 이제 준비됐나요? 아이언맨처럼 용기를 내 볼 시간이에요."

떨리는 두 손을 마주 집으며 아이언맨처럼 강하게 이겨내자고 다짐했다. 주사는 잠시 아플지도 모르지만, 그 뒤에는 아프지 않고 전보다 건강한 일상이 기다리고 있을 거라는 의사 선생님의 말을 믿어보기로 했다.

"이하루님, 이제 방을 옮기기 전에 저쪽 잠깐 들렀다 가겠습니다. 저기는 이것저것 특별하고 다양한 것들이 기다리고 있답니다."

"네, 선생님!"

따라 들어간 그 방 안에는 컬러풀한 그림과 의료도구와 같은 모양의 장난감들이 환영하고 있었다. 간호사 선생님은 먼저 다양한 동물 모양의 의사 도구들을 보여주며 설명해주셨다.

"이 도구들은 병원에서 편안함을 느낄 수 있도록 도와주는 친구들이에요. 여기 토끼 인형 친구도, 물고기 친구도 있어요! 마음에 드는 친구가 있나요? 여기 친구들에게 하루가 주사를 놔 볼 수도 있는데, 지금은 함께 이겨낼 친구를 골라 볼까요?"

인형들 사이에 하얗고 몰캉몰캉해 보이는 강아지 인형이 눈에 들어왔다. 눈매가 매서워 보이는 것이 아주 용감해 보여서 품에 안았다. 덕분에 긴장이 조금 풀리는 것 같기도 하다. 결정한 나와 엄마를 데리고 간호사 선생님은 주사실로 데리고 들어갔다. 우리를 앉혀두고 뒤돌아 주사를 준비하는 선생님을 보니 다시 긴장이 찾아와 인형을 품 깊숙이 더 안아 들었다.

"선생님이 이 병원에서 제일 주사 안 아프게 놓아주시는 거 맞지요?"

간호사 선생님은 한 치의 망설임도 없이 이 물음에 답해주셨다.

"그럼요! 선생님이 제일 잘해요."

저 대답에 긴장으로 귀까지 올라갔던 어깨가 조금 내려갔다. 간호사 선생님이 긴장한 나를 눈치채셨는지, 다정하게 말을 걸어주셨다.

"지금은 멋있는 아이언맨처럼 용기를 내야 할 때예요. 우리 같이 이겨내 봐요."

아이언맨이 역경을 헤쳐나가는 걸 떠올리며 선생님의 말에 고개를 끄덕였다.

"네, 선생님! 함께 이겨내 볼게요!"

부드러운 간호사 선생님의 목소리에 호기롭게 외쳤지만 머릿속으로 생각하는 것은 멈출 수는 없었다. 주사 준비가 끝나고 돌아오는 선생님 손에는 주사기가 있었다. 바늘이 굵다 못해 팔이 뚫릴 것 같은데 진짜 뛰쳐나갈까 걸어서 집까지 충분할 것 같은데. 도망갈 생각을 하니 어깨가 문 쪽으로 자연스럽게 돌아갔다. 이런 나의 생각을 알았는지 엄마가 나와 문 사이를 막고 두 팔로 나를 잡았다. 간호사 선생님께서 내 왼쪽 팔을 본인 쪽으로 끌어당기시는데 심장이 매우 빨리 뛰기 시작했다. 옷을 걷으시는데 차마 내 눈으로 볼 수가 없어 눈을 돌렸다. 오른팔에 안겨있는 인형으로는 부족해서 엄마의 손목도 같이 붙잡고 부들부들 떨었다. 보지 않고 있는데도 차가운 솜이 내 팔을 문지르는 것도 다 느껴졌다. 차가운 알코올이 팔을 따라 흐르는데 내 심장도 같이 뚝 떨어졌다. 덜그럭 소리가 나더니 간호사 선생님이 내 팔을 잡은 손에 힘을 살짝 주면서 말했다.

"살짝 따끔합니다~"

눈을 꼭 감고 주먹을 쥐고 숨을 꾹 참고 제발 안 아프기를 기도했다. 숨이 차서 언제 끝나는지 물어보려는 순간

"끝났습니다~"

라고 하셨다. 시작한 지도 몰랐는데 놀랍게도, 아픔이 느껴지지 않았다. 따끔하지도 않았다. 마치 지금 꿈을 꾸고 있는 것 같다. 멍한 내 상태를 보셨는지 간호사 선생님과 엄마가 말을 걸어주셨다.

"하루야, 이제 주사가 끝났어요. 잘 견뎌주셔서 고마워요."

"정말 고생했어, 하루야. 참 잘 견뎌줘서 기특하다. 이런 상황에

서도 엄마랑 같이 오니까 든든하지?"

엄마는 이제 걱정이 모두 사라진 듯 환하게 웃으면서 말했다.

"맞아요 엄마 덕분이에요! 앞으로는 더 신경 써서 아프지 않을 거예요!"

주사를 맞은 뒤에는 거짓말같이 불안과 두려움이 사라졌다. 대기 의자에 10분은 더 앉아 있으라는 간호사 선생님의 말씀에 앉아 있는데 새벽부터 난리 났던 배도 아프지 않았다. 시간이 지나고 집으로 돌아 가기 전, 간호사 선생님과 의사 선생님께 꾸벅 고개를 숙이며 감사의 인사를 건네고 나왔다. 차 안에서 엄마는 미소를 띠며 내내 걱정했던 마음에 대해 이야기했다.

그 후로 병원에 가는 것이 무작정 무섭기만 하지는 않다. 오히려 의사 선생님과 간호사 선생님들의 따뜻한 말과 친절함이 강하게 남았다. 그리고 이제 나는 병원을 갈 때 무서움보다는 안심을 느낀다. 그런데 그날부터 궁금해진 것이 있다. 나는 아프면 병원에 가는데 엄마 아빠는 왜 안 아플까? 몰래 가시나? 티를 안 내시는 걸까?

하늘 정류장

나우리

나우리 　상상력을 자극하는 창작물을 좋아하며 감수성이 풍부하다. 동화를 쓰기로 했을 때 제일

　　　　먼저 곁에서 항상 다정한 쉼터가 되어주었던 아롱이가 떠올랐다. 아롱이와 우리 가족의

　　　　추억이 누군가에게 작은 위로가 되길 소망한다.

언제나 해맑은 웃음과 함께 힘차게 꼬리를 흔들던 강아지 아롱이가 강아지별로 간 지 한 달이 됐습니다. 아롱이가 세상을 떠남으로 인해 가족들은 큰 슬픔에 휩싸였습니다. 특히 큰언니는 아롱이와 함께한 기억들이 새록새록 떠오르면서 더욱 힘들어했습니다. 하루하루 시간이 지나가도 매 순간 아롱이와 함께한 소중한 순간들을 회상하며 그리움에 잠겼습니다. 모두가 아롱이를 잊지 못하고 슬퍼하던 나날, 큰언니는 이상한 꿈을 꾸기 시작했습니다.

'어? 나 꿈을 꾸고 있는 건가? 어렸을 때 키가 폭발적으로 자라면서 매일같이 하늘에서 떨어지는 꿈을 꿨었는데, 그 이후로 내가 구름 사이에 날아다니는 꿈을 꾼 건 거의 십 년 만인 것 같아!'

큰언니는 오랜만에 하늘을 나는 꿈을 꾸면서 행복해했습니다.

'다 컸는 줄 알았더니… 나 또 키 크는 건가? 히히. 근데 밑으로 안 떨어지고 오히려 구름을 타고 올라가네?'

어딘가로 큰언니를 데려가던 구름은 새파란 하늘을 배경으로 구름 위에 둥둥 떠 있는 버스 앞에서 멈췄습니다. 정류장 표지판에는 어딘가를 표시하는 화살표와 함께 하늘 정류장이라고 단순하게 적혀있었습니다. 그런데 그때, 큰언니가 매일같이 보고 싶어 하던 아롱이가 자기 몸 색과 같은 하얗고 반짝이는 귀여운 날개를 달고 버스에서 내렸습니다.

"큰언니!! 나 언니 보러 왔어!!"

심지어 아롱이와 대화를 할 수 있다니, 눈을 감으면 사라질까 싶어 눈도 깜빡이지 않고 아롱이를 쳐다보았습니다. 큰언니는 영원히 이 꿈에서 깨고 싶지 않았습니다.

"우리 아기 잘 있었어? 언니가 아롱이 보고 싶을 때마다 아롱이한테 매일 사랑한다고 얘기했는데 다 듣고 있었어?"

어느새 눈에서 눈물이 떨어졌지만, 입은 활짝 웃으면서 큰언니가 말을 걸었습니다.

"당연하지! 나도 여기서 사귄 친구들 다 착하고 예쁘다고 자랑했다고. 근데 난 언니 목소리 다 들었는데 언니는 내 말 안 들리는 것 같아서 꿈속으로 불렀어! 나 잘했지?"

아롱이의 날개가 자랑하듯 살랑살랑 움직였습니다.

"역시 아롱이가 최고야! 똑똑한 똑순이! 새로 생긴 날개도 정말 잘 어울린다! 아롱아 언니 오늘도 삐약이랑 같이 잠들었어~ 삐약이 기억나지?"

아롱이가 물고 돌아다니고 잘 때 늘 함께 자던 병아리 인형에 대해 얘기를 꺼냈습니다.

"언니~나 여기로 삐약이 가지고 왔어! 그래서 여기서도 언니랑 같이 있는 것 같고 너무 좋더라! 가족들이랑 나 보러 다시 와줄 수 있어? 하늘정류장에서 버스를 타면 내가 있는 곳으로 올 수 있어. 우리 다 같이 만나자!"

그 말을 마지막으로 언니는 언제 다시 현실로 돌아왔는지 알 수 없었지만 꿈에서 깨어났습니다.

"엄마, 나 오늘 꿈에서 아롱이를 만났어."

다음날 가족이 다 같이 아침식사를 하던 와중, 큰언니는 가족들에게 꿈속에서의 이야기를 해주었습니다.

"진짜? 나도 봤어. 어떻게 동시에 같은 꿈을 꾼 거지? 난 아롱이가 행복해 보여서 더 좋았던 것 같아. 우리 걱정하지 않게 그곳에서 재밌게 지내고 있다는 소식을 전해준 것 같아서 마음이 안정되네."

큰언니와 똑 닮았지만 머리만 단발인 작은언니가 놀라며 덧붙였습니다. 알고 보니 둘이 꾼 꿈은 같은 내용의 꿈이었습니다. 아롱이가 꿈에 나와 하늘 정류장이라는 곳에서 만났고, 행복하게 살고 있다는 이야기를 전해주었다는 꿈이었다고. 엄마와 아빠도 아롱이의 꿈을 꾸었다고 했고, 모두의 꿈에 동시에 나타났다는 특별한 사실에 가족들은 이 꿈을 아롱이에게서 온 메시지라고 놀라 하며 아롱이에 대한 더 깊은 사랑과 그리움을 나누는 시간을 보냈습니다. 그리고 하늘에서 아롱이가 행복하게 지내는 것을 상상하며 위안을 얻었습니다. 가족들은 그들과 아롱이와의 연결이 아직 끊기지 않았음을 느끼게 되었습니다.

"마치 우리 아롱이가 특별한 곳에서 편안하게 지내고 있는 것 같아. 역시 우리 막내딸. 잘 적응했나 보다."

아빠가 말했습니다.

"우리가 그 장소에 도착하는 시간은 서로 다를 지도 모르지만, 정류장 표시가 되어있던 그 입구에서 서로 기다렸다가 다 함께 아롱이가 있는 그곳으로 하늘 버스를 타고 가보면 어떨까?"

엄마의 제안에 가족들은 동의했습니다. 이렇게 가족들은 꿈속에서 보았던 하늘 정류장을 잊지 않도록 자주 그 장소에 대해 이야기하며, 잘 기억했다가 찾아가기로 약속했습니다. 언젠가 지구에서의 모든 여정이 끝나면 도착할 그곳에서 아롱이를 만나기로 했던 것입니다.

오랜 시간이 흐른 뒤, 아롱이, 아빠, 엄마, 작은언니에 이어 큰언니까지 지구를 떠나 하늘 정류장으로 이동할 시간이 되었습니다. 처음에 언니는 마음만 먹으면 바로 아롱이를 볼 수 있는 장소에 도착할 수 있을 것이라고 생각했습니다. 하지만 곧 하늘 정류장으로 향하는 길을 찾지 못해 어려움을 겪게 되었습니다. 아롱이가 꿈으로 불러주었을 때는 구름을 타고 금방 도착했던 것 같은데 지금은 하늘 위로 올라가는 구름을 찾는 것부터 힘들었습니다. 다른 가족과도 정류장에서 만나기로 했는데 마치 혼자만 길을 잃고 헤매는 중인 것 같아 큰언니는 점점 초조해졌습니다. 그때, 아롱이를 떠올리면 늘 함께였던 병아리 인형이 눈앞에 나타나 바닥에서 통통 튀어 오르며 존재감을 보였습니다.

'아롱이가 가장 좋아하던 삐약이다!'

노랗고 동그란 병아리를 보는 순간, 아롱이가 있는 곳으로 인형이 데려다줄 거라는 알 수 없는 믿음이 생겼습니다. 언니는 인형을 뒤쫓아 가기 시작했습니다. 그러다 어느 순간 저쪽 멀리에서 하늘 위로 마치 에스컬레이터처럼 줄을 지어 올라가는 구름 덩어리들이 보이기 시작했고 언니는 그곳으로 한걸음에 달려가 구름 위에 올라탔습니다.

'드디어 우리 가족이 모두 모이는 거야!'

아롱이를 만나는 것도, 언니보다 먼저 출발한 다른 가족들과 만나는 것도 기뻤습니다. 지금 하늘을 나는 이 순간은 아롱이를 꿈에서 만났을 때와는 달리 단지 꿈이 아니고, 하늘에서 모두를 만난다면 이제는 헤어지지 않고 항상 함께일 수 있다는 것이 마음을 벅차게 했습니다. 드디어 하늘 정류장에 도착한 언니는 가족들을 찾기 시작했습니다.

"언니! 어서 와 기다렸어!"

작은 언니와 아빠가 구름 위를 달려왔습니다. 정류장에서 만나 함께 이동하기로 한 약속을 잊지 않고 차례로 도착하는 가족들을 기다렸던 것입니다.

"우리 진짜 여기서 만났네! 너무 보고 싶었어…! 그런데 엄마는 어딨어?"

문제가 생겼습니다. 엄마가 아직 하늘로 오는 길을 찾지 못한 것 같았습니다.

"난 삐약이가 알려줘서 구름 타고 올라왔어. 엄마한테는 삐약이가 안 간 건가?"

언니는 삐약이가 가족 모두를 데려와줬을 것이라고 생각했습니다.

"삐약이? 아니야 나한테는 아롱이 산책할 때 신겨줬던 신발이 보여서 신발이 남겨주는 발자국 따라 구름 타고 온 거구, 아빠는 아롱이한테 줬던 갈비가 헨젤과 그레텔에 나오는 과자 부스러기처럼 떨어져 있었다. 그걸 보고 아롱이를 떠올리고 따라온 아빠도 너무 재밌긴 하다!"

셋이 서로 대화를 나누다 보니 본인들을 하늘로 인도하는 이미지가 다르게 나타난 것이 신기했습니다.

"아빠 생각에는 아롱이가 우리들 각각을 떠올렸을 때 연상하는 가장 즐거웠던 기억이랑 연관된 이미지가 마중 나온 것 같아. 그 이미지로 우리를 부른 게 아닐까? 산책 많이 시켜준 작은언니에게 신발이 갔고, 방에서 놀아준 너에게는 인형이 간 걸 보면. 아빠는 너희 몰래 간식 주던 게 이렇게 걸리네. 그래도 아롱이가 먹으면서 순간순간 정말 행복했나 봐 하하"

그렇게 아빠가 볼록 나온 아빠의 배를 쓰다듬으며 말하는 와중에 엄마가 도착했습니다.

"어머 다들 먼저 와있었네!?"

엄마는 하늘 정류장에 도착하는 과정에서 가족들과는 조금 다른 경험을 했습니다. 엄마는 하늘 위로 올라오는 구름 덩어리를 타지 않고 그냥 아롱이를 향해 가고 싶다고 생각하며 잠시 빛을 향해 걷다 보니 도착했다고 말했습니다. 아마 다른 가족들이 거쳐왔던 구름을 타고 오는 방법과는 달라서 도착 시간에 차이가 있었던 것 같았습니다. 엄마는 아롱이와 함께했던 추억을 헤어진 후에도 한순간도 잊지 않았고, 특히 하늘 정류장을 소개하던 아롱이가 나온 꿈을 매일같이 떠올렸습니다. 아롱이와 함께하던 장면을 늘 떠올리던 엄마의 상황이 아롱이를 그리워하고 다시 만나려는 마음과 함께 더 깊은 연결을 형성하고 아롱이에게로 가는 가장 쉬운 길을 찾았습니다.

"어떻게 왔냐고? 그냥 아롱이를 보고 싶다는 마음으로 발걸음을 옮기니 하늘정류장에 도착할 수 있었어! 아롱이가 이미 그때 꿈에 나와서 길을 알려줬잖아."

"이상하다. 나는 삐약이가 길을 안내해 줬는데… 아롱이가 가장 좋아하던 인형 말이야."

"나는 아롱이 신발이 남긴 발자국을 따라왔어."

"난 아롱이 갈비가 떨어져 있는 걸 보고 왔는데. 당신은 뭐지…?"

가족들이 차례로 대답했습니다.

너나 할 것 없이 가만히 고민에 빠져있던 가족들. 그 정적을 깨는 건 작은언니였습니다.

"아니, 그게 무슨 상관이람! 지금 그런 걸 고민하고 있을 때야? 아롱이 보러 가야지!"

작은언니가 답답한 듯 소리치자, 아빠가 입을 삐죽였습니다.

"거참, 자기도 같이 고민했으면서…"

"아, 맞다. 잠깐만."

생각에 잠겼던 큰언니가 눈을 크게 떴습니다.

"아롱이, 엄마가 데려왔잖아."

큰언니의 말에 함께 고민하던 엄마도, 티격태격하던 작은언니와 아빠도 행동을 멈추었습니다. 모두 같은 생각을 떠올렸습니다. 엄마가 집 앞에서 낑낑대던 아롱이를 집으로 데려온 그날. 우리 가족의 막내가 생긴 그날. 아롱이의 이름이 아롱이가 된 그날… 가족들은 더욱 커지는 아롱이 생각에 발걸음을 빨리했습니다.

하늘 정류장에 도착한 아롱이는 다양한 동물들과 함께 어울리며 행복한 모습으로 지내고 있었습니다. 지구에서 하얀 털옷에 맑은 눈망울을 가지고 뛰어놀던 강아지 아롱이는 밝은 성격과 따뜻한 마음씨로 하늘의 생명체이자 하늘의 주민으로 인정받고 예쁜 날개를 얻어 잘 적응한 상태였습니다. 하늘 마을은 지구에서 떠난 영혼들이 모이는 곳으로, 기존의 하늘 주민에게 인정받은 존재는 등에 날개가 생겨나고 질병에 고통받지 않는 가장 건강했던 시기의 몸으로 오래도록 살아갈 수 있었습니다. 하늘 주민이 된 아롱이는 가족들이 도착할 때까지 기다리면서 다양한 동물들과 재밌는 시간을 보내고 있었습니다. 하지만 가족들과 헤어져서 하늘 정류장에 온 지 오래된 아롱이는 그렇게 기다렸던 가족들임에도 너무 긴 시간이 지나서인지 처음에 그들을 바로 알아보지 못했습니다. 도착한 가족들이 아롱이를 찾아왔는데 반대쪽 길에서 눈이 마주쳤음에도 바로 달려오지 않고 멀리서 주춤주춤 하는 아롱이를 보면서 가족들은 걱정이 컸습니다.

"저 예쁜 강아지가 우리 아롱이 맞지? 난 사실… 여기에 오면 아롱이가 우리를 바로 알아봐 주고 뛰어와줄 줄 알았거든. 우리가 기억이 잘 안 나는 건가…?"

큰언니가 가족들에게 조심스럽게 말했습니다.

"아롱이 확실히 맞는 것 같아? 그런데 왜 우리를 바로 못 알아보는 걸까?"

작은언니가 걱정하며 물었습니다. 가족들과 아롱이는 과거 지구에서는 사람 대 강아지로 대화를 할 수 없었는데, 꿈에서 방문했던 하늘 정류장에서는 아롱이의 말이 이해가 되어 기뻐했었습니다. 오자마자 즐겁게 대화를 나눌 생각으로 서둘러 왔는데 아롱이가 가족들을 바로 알아보지 못한다는 문제가 생긴 것이었습니다. 가족들은 말이 통하지 않던 전보다 오히려 아롱이와의 사이에 벽이 높아졌다고 느꼈습니다. 큰언니는 조심스럽게 말했습니다.

"아롱이가 우리를 인식하지 못하는 이유가 뭘까? 우리가 너무 오래 아롱이의 곁을 떠나 있었던 걸까… 어쩌면 예전에는 늘 다가와 주고 사랑을 주기만 하던 아롱이에게 이번에는 우리가 먼저 다가가 볼 기회를 준 건가…"

큰언니의 말을 듣고 아롱이는 마음이 복잡했습니다. 그동안 하늘 정류장에서 다양한 경험을 쌓아가며 아롱이는 가족들이 도착하고 이 모든 것을 함께하면 얼마나 행복할지 상상하고 또 기대하고 있었습니다. 다만 아롱이가 기억하고 있던 모습보다 지금의 가족들이 몇십 년씩 더 늙은 모습이어서 그동안 그리워하던 가족들이 맞는지 빠르게 인식이 되지 않았습니다. 그때, 옆에서 지켜보던 고양이 친구인 지니가 아롱이에게 다가와 말했습니다.

"아롱아, 가족들은 여전히 널 사랑하고 다시 가까워지려고 노력하고 있어. 겉모습에 어색해하지 말고 저기 공원에 앉아서 좀 더 이야기를 들어봐 주고 다가가 보는 게 어때?"

아롱이는 고개를 끄덕이며 지니에게 감사 인사를 했습니다. 가족들은 빛으로 만들어진 나무 아래에 함께 모여 아롱이의 주위에 앉아 마음을 전하려고 노력했습니다.

"아롱아, 우리의 변한 모습에 놀랐지? 하지만 그 변화 속에서도 너를 사랑하는 마음은 여전히 똑같아. 오히려 더 커졌지. 우리는 이 시간의 흐름이 우리의 관계를 더 소중하게 느끼게 해주고, 앞으로 우리의 사이도 더 특별하게 만들 거라고 생각해. 함께 있는 순간을 더 감사할 줄 알게 되어서 기뻐."

큰언니가 따라와서 말했습니다. 아롱이는 그 말에 감동하여 눈시울이 붉어졌습니다.

"우리 아롱이, 마냥 어린 우리 막내였는데 정말 많이 성숙해졌구나. 이제는 우리 외모에 대한 얘기가 아니라 서로를 얼마나 사랑했는지 그 마음을 전하면서 함께했던 순간들을 떠올릴 수 있을 거야. 서로가 없이는 한 시간만 떨어져 있어도 괴로운 사이였는걸."

엄마는 그동안 나눈 대화를 통해 앞으로 아롱이에게 어떻게 다가갈지 가족들과 생각을 나누었습니다. 옆에서 이야기를 듣고 있던 아롱이는 자신의 어색함에 대해 고민했습니다. 아롱이는 하늘 마을에서 다양한 동물들과 소통하며 외적인 면보다는 마음의 소리로 의지를 전하며 오래 지냈습니다. 그 와중에도 늘 가슴속에 보고 싶은 가족들의 얼굴을 잊지 않으려고 재회 장면을 상상하기도 했습니다. 그런데 한달음에 달려가 가족들의 품에 안기지 못한 것은 찾아온 가족들의 모습이 그동안 상상했던 얼굴과 많이 달라 낯설었던 것입니다. 가족들과 얘기하면서 지구에서의 추억을 짚어가다 보니 가족들을 이렇게 낯설어하는 스스로의 모습을 다시 되돌아보게 되었습니다.

'지구에서 나는 피부와 털, 몸의 크기와 모양으로 다른 친구들의 정체성을 파악했었지. 하지만 이곳에서는 다양한 생명체와 소통하며 마음의 소리, 감정, 그리고 그 안에 담긴 의지가 얼마나 중요한지 알게 되었어. 이야기가 계속될수록 확실한 건 가족들은 여전히, 그리고 앞으로도 나의 가장 가까운 존재라는 거야.'

하늘 정류장에서 아롱이는 그렇게 새로운 생각을 얻게 되었습니다. 그동안 육체를 가진 존재의 편견과 한계에서 벗어나 마음으로 소통하는 경험이 아롱이에게 쌓여온 것입니다. 아롱이는 이제야 조금씩 웃으면서 말했습니다.

"앞으로 자주 만나서 우리에게 어떤 추억들이 있었는지 더 얘기를 나눠볼까? 나 엄마가 송편 만들어준 생각 나. 또 먹고 싶다."

가족들은 기쁜 마음으로 미소를 지으며 아롱이와의 대화에 적극적으로 참여했습니다.

"아롱아 이제는 1/10 크기 송편 말고 다 같은 크기의 송편을 먹어보자. 언니랑 같이 꽃구경 갔던 건 생각나? 우리 사진도 많이 찍었었잖아."

큰언니가 어느 봄날의 분홍색 벚꽃나무를 떠올리며 말했습니다. 아롱이도 계속되는 대화를 통해 지구에서의 한때가 새록새록 떠올랐습니다. 작은언니는 앞장서고, 엄마랑 큰언니는 뒤에 따라오고, 세상에 무서울 것 없이 즐겁게 탐험하면서 새로운 향기를 발견했던 기억을. 사라졌던 퍼즐 조각을 하나둘씩 찾은 아롱이는 또 한층 정신적으로 성숙하고 변화를 거듭하며 새로운 정체성을 찾아나갔습니다. 가족들은 하늘 정류장에서의 시간 속에서 떨어져 있었던 동안 성장한 아롱이를 이해하려고 노력했고, 아롱이 또한 약속을 잊지 않고 하늘로 자기를 찾으러 와준 가족들에게 마음을 활짝 열어주었습니다.

"맞다! 아롱아 전에 내 꿈에 찾아왔을 때 말이야, 하늘로 병아리 인형 가지고 올라왔다고 하지 않았어? 언니가 아롱이한테 말 거는 목소리도 들린다고 했고!" 큰언니가 옛날에 꿈을 꾸었던 기억을 떠올리면서 아롱이에게 질문했습니다.

"맞아! 그 인형 앞에서는 언니 목소리 들리고 행복했어."

"그럼 지금 눈 감고 언니 목소리만 들어볼래?" 언니의 말에 아롱이가 눈을 감았습니다.

"우리 아롱이 사랑한다." 아롱이의 귀에 들리는 언니의 목소리에는 예전과 똑같이 따뜻했습니다.

서로의 어색함을 극복하려는 이런 작은 노력들 속에서, 가족들과 아롱이는 서로를 더 깊게 이해하게 되었습니다.

"아롱아, 언제 어떤 모습으로 만나도 넌 여전히 우리 가족이고 내 막내딸이야." 아빠가 말했습니다. 아롱이는 차오르는 행복에 눈물을 흘리며 가족들과의 연결이 더 두터워짐을 느꼈습니다. 그 순간, 하늘 정류장에 눈이 부실 만큼 강한 빛이 퍼져나갔습니다, 하늘 주민인 아롱이의 사랑과 인정을 받아 가족들에게도 날개가 생긴 것입니다. 주위를 지나가고 있던 동물 친구들은 아롱이와 가족들의 단단한 연결이 느껴지는지 미소를 지었습니다. 하늘 마을로 향하는 버스가 도착하자, 아롱이와 가족들은 함께 버스에 올라 함께 마을을 둘러보면서 하늘에서의 행복한 여정을 시작했습니다. 하늘 정류장은 항상 변화와 이별, 그리고 다시 만남의 장소로 남아 있었고, 각자의 특별한 순간들이 끊임없이 이어지고 있습니다.

"우리가 함께 만들어온 하늘 정류장에서의 이야기, 정말 소중해. 한 순간도 잊지 못할 거야."

엄마가 말했습니다.

"그래, 아롱이와 함께 한 모든 순간들이 지금의 우리를 만들어냈어."

작은언니가 덧붙였습니다. 가족들은 지구에서도, 하늘에서도 아롱이의 존재 덕분에 더 풍요로운 일상을 만들 수 있었습니다.

"아롱아, 우리를 다시 기억해 주고 이곳에서 우리와 함께해 주어 정말 고마워. 엄마가 그동안 못해준 맛있는 음식 많이 만들어줄게."

엄마가 속삭였습니다.

"맞아, 다시 한번 우리 가족이 되어줘서 고마워, 아롱아. 지구에서 처음 만났을 때는 우리가 너와 함께하기로 결정했던 거라면, 하늘에서는 아롱이가 우리와 함께하기로 결정하고 기다려준 거야. 앞으로도 잘 부탁해."

큰언니가 미소를 지으며 말하자 입을 달싹이는 아롱이에 온 가족의 시선이 집중됩니다. 침을 꿀꺽 삼킨 아롱이가 이내 가족들을 향해 환하게 웃으며 달려갑니다. 가족들을 바라보는 아롱이의 뒷모습에서도 사랑의 향기가 가득합니다.

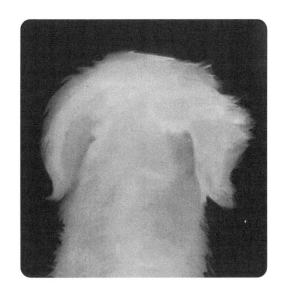

마음 슈퍼

권혜원

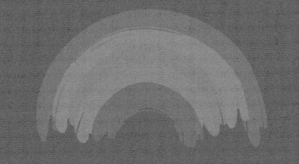

권혜원   모든 색깔을 좋아하는 사람. 여러 가지 색깔이 모여 만들어내는 조화로움을 사랑합니

다. 너와 나 우리, 가지각색의 마음이 잘 어우러지는 세상을 원합니다.

이메일: hwon0229@naver.com

"이 씨… 왜 자꾸 벚꽃은 내 머리에 떨어지는 거야!"

학교를 마치고 집에 가는 길, 따뜻한 봄바람에 벚꽃 잎이 날려 자꾸 머리 위에 앉는다. 분명 학교를 올 때는 떨어지는 벚꽃을 잡겠다고 신나게 뛰어다녔는데, 지금은 그저 내 머리 위로 떨어지는 벚꽃 잎들이 밉다. 머리를 흔들며 터덜터덜 옮기는 내 발걸음을 따라 벚꽃 잎이 바닥에 내려앉는다. 마치 내 마음처럼 말이다.

이제 나는 끝났다. 3학년 1반 사고뭉치 확정이다.

오늘은 운동회 준비를 위해 달리기 연습이 있던 날이었다. 사고뭉치라고 불리던 나에겐 오늘이 기회였다. 오늘이야말로 내가 사고뭉치가 아닌 에이스의 모습을 보여줄 수 있다는 생각이 들었다. 내가 운동회 때 쏜살같이 달려 1등을 해서 선생님과 친구들이 기뻐하는 상상을 하니 계속 웃음이 나와서 삐져나오는 웃음을 참고 운동장으로 나갔다.

"야! 권이솔! 사고뭉치! 거북이만큼 느리면서 달리기는 하려고?"

또 유준서다. 내 옆자리에 앉는 유준서. 자꾸 열받게 하는 키만 멀대같이 큰 놈. 나의 완벽한 3학년 생활의 시작을 망가뜨린 장본인. 정말 내가 싫어하는 친구다.

"내가 뛰는 거 본 적 있어? 그리고 내가 왜 사고뭉치야! 네가 사고뭉치지!"

눈을 꽉 감고 소리를 빽 질렀더니 어느새 옆에 선생님이 와계셨다.

"이솔아, 그만 소리 지르고 출발선으로 가볼까?"

선생님 말씀에 얼굴이 빨갛게 타오르는 느낌이 들었다. 항상 이런 식이다. 유준서가 먼저 시작한 건데 항상 나만 선생님께 꾸중을 듣는다.

"크크크 또 권이솔이야"

"이솔이는 준서한테만 왜 저러지? 사실 좋아하는 거 아니야?"

열이 오르는 얼굴에 고개를 푹 숙이고 출발선으로 가는데 친구들의 이야기 소리가 들렸다.

"다 유준서 때문이야. 가만두지 않겠어."

햇살이 더운 건지, 열을 받아서인지 화끈거리는 얼굴을 감싸며 준비 자세를 잡는데 하필 옆이 또 유준서다. 유준서는 선생님에게 안 보이게 눈을 뒤집으며 메롱을 한다.

"준비, 출발!"

선생님의 신호와 동시에 나는 유준서의 머리를 잡아당겨 뒤로 젖히고 열심히 달렸다.

"이 씨! 권이솔 거기 서!"

"내가 서겠냐?"

꽈당!

"하…"

이 세상은 내 마음과 반대로 돌아가고 있는 게 분명하다. 이 억울한 내 마음은 누가 알아줄까! 오늘 일어난 일을 생각할수록 머리 위에 돌덩이가 앉은 듯이 무겁다. 고개를 푹 숙이고 땅바닥만 보며 터덜터덜 발걸음을 옮기는데 발끝에 돌멩이가 차인다. 걸음을 멈추고 자세히 돌멩이를 바라보니 못생긴 윤준서 얼굴로 바뀌는 게 아닌가!

"에잇! 재수 없어!"

휙!

두 눈을 꽉 감고 오른발로 있는 힘껏 돌멩이를 찼는데 오른발에 바람이 닿는다. 눈을 떠보니 길모퉁이 끝에 운동화가 날아가 있다. 이제 진짜 눈물이 날 정도다. 정말 난 뭘 잘못한 걸까. 왼발로 콩콩 뛰어 운동화를 주워 신으며 앞을 보니 못 보던 가게가 눈에 띄었다.

'마음 슈퍼?'

신발을 고쳐 신고 일어나서 보니 마음 슈퍼라는 가게가 있었다. 문에는 크게 마음 슈퍼라고 적혀있고 손잡이에는 open 간판이 걸

려있었다. 가게는 딱 내 키만큼 불투명 유리로 안이 가려져 있어서 까치발을 들어봐도 눈이 닿지 않았고, 문에 붙어서 들여다봐도 이마만 차가울 뿐 잘 보이지 않았다. 어떤 가게인지 너무 궁금해져서 문을 확 열었다.

딸랑!

"안녕하세요…"

따뜻한 조명과 다양한 과자, 사탕들이 진열되어 있지만, 너무 조용한 가게 안, 문 종소리에 놀라 기어가는 목소리로 인사하며 한 걸음, 한 걸음 천천히 들어갔다. 생각했던 것과 다르게 편의점에서 볼 수 있는 물품들이 아니라 직접 만든 것 같은 쿠키와 사탕들이 한가득 있었는데, 종류별로 설명이 적혀있었다.

눈물 쿠키	스마일 사탕	우정 젤리
이 눈물 쿠키를 먹으면 마음속 슬픔이 가득 차올라 눈물이 나와요. 펑펑 울고 나면 마음이 한결 가벼워진답니다.	이 스마일 사탕을 먹으면 싱글벙글 ~ 웃음이 나와요. 자신감 UP! 내가 마음먹은 대로 할 수 있답니다.	이 우정 젤리를 먹으면 우정이 마구 샘솟아요. 친해지고 싶은 친구와 함께 먹어봐요!

'이걸 먹으면 마음이 바뀐다는 건가…?'

의아한 마음으로 하나씩 설명을 읽고 있는데, 가게 안쪽에서 인기척이 들렸다.

"오! 어서 와요~ 안에서 정리하느라 소리를 못 들었네요. 저희 가게 첫 손님이에요!"

하이톤의 엄청나게 큰 목소리에 화들짝 놀라며 소리 나는 쪽을 보았다. 검은색 체크 원피스에 하얀 레이스 앞치마를 두른 단발머리 아주머니가 생글생글 웃으며 카운터 쪽으로 나왔다. 아주머니는 기쁜 얼굴로 나를 빤히 쳐다보았다.

"아… 안녕하세요. 아 그게… 새로운 가게가 생긴 거 같길래… 궁금해서 밖에서 보려 하다가…"

나를 빤히 보는 주인아주머니의 얼굴을 보며 이야기하려니 말이 횡설수설 나왔다.

아주머니는 내가 귀엽다는 듯이 웃음을 지었다.

"꼬마 손님이 우리 가게가 궁금했구나! 여기는 가게 이름대로 마음을 파는 슈퍼랍니다!"

쾌활하게 이야기하는 아주머니의 말에 궁금해졌다.

"네? 마음을 팔아요? 어떻게요?"

의아한 표정으로 묻는 내 질문에 아주머니는 카운터에서 나와 진열된 과자들 쪽으로 걸어가며 이야기를 했다.

"여기 내가 정성껏 만든 마음 쿠키를 통해서 마음을 팔지!"

아주머니의 걸음에 내 눈도 바삐 쫓아가며 가게를 다시 한번 둘러보았다. 아까 들어오면서 봤던 종류보다 훨씬 다양한 종류의 마음이 적힌 쿠키, 사탕, 젤리들이 있었다.

마음 쿠키를 하나 집어 요리조리 살펴보던 나는 빨리 그냥 여기를 나가야겠다는 생각이 들었다.

'참 내, 이걸 먹으면 적힌 대로 마음이 바뀐다고? 말도 안 돼.'

"말도 안 된다고 생각하지 말고 하나 사서 먹어봐~ 꼬마 손님."

내 눈은 튀어 나갈 만큼 커져서 아주머니를 바라보았다. 내 생각을 어떻게 읽었지? 분명히 생각만 했는데….

"음… 내가 봤을 땐 지금 꼬마 손님에게 필요한 건 기쁨 초콜릿이겠다! 첫 손님이니깐 특별히 오픈 서비스야 공짜로 줄게. 한 번 먹어봐!"

진열된 과자들 앞에서 고민하던 아주머니는 초콜릿을 집어 나에게 주었다. 계속 웃는 아주머니를 보는 데 여기 계속 있다가는 내 생각이 다 들킬 것 같았다.

"감사합니다… 저… 엄마가 걱정하실 거 같아서 그럼 가볼게요!"

나는 아주머니에게서 초콜릿을 받아 주머니에 쑤셔놓고는 후다닥 문을 열고 달려갔다.

"권이솔! 너 옷이 왜 그래!"

주머니에 있는 초콜릿을 만지면서 여러 생각을 하다 보니 어느새 집 앞이었다. 멍한 채로 집에 들어서다 엄마의 목소리에 정신이 탁 들었다. 아뿔싸.

"너 엄마한테 와 봐. 체육복 꼴이 이게 뭐야~ 뭘 했길래 이래! 빨래하게 빨리 벗어!"

"네….."

엄마가 한마디 한마디 할수록 목소리가 점점 커진다. 등에선 식은땀이 주르륵 흐른다.

얼른 옷을 갈아입고 엄마에게 체육복을 건넸다.

툭!

"이게 뭐야? 초콜릿?"

엄마에게 체육복을 건네는 순간 마음 슈퍼에서 받아온 초콜릿이 주머니에서 떨어졌다.

"아! 학교에서 받았어. 엄마 먹어. 난 안 먹어도 돼!"

떨어진 기쁨 초콜릿을 주워 엄마에게 줬다. 진짜 아줌마 말대로라면 엄마의 기분을 바꿔주지 않을까 하는 생각으로 말이다.

"얘는 갑자기 웬 초콜릿을…."

엄마는 체육복을 세탁기에 휙 던져서 넣고 나서 내가 준 기쁨 초콜릿을 입에 쏙 넣었다.

"흐음~ 이거 정말 맛있다! 이솔아"

엄마는 초콜릿을 먹으면서 거실에서 청소기를 돌리기 시작했다. 나는 방으로 들어가서 방문을 조금 열고 엄마를 지켜보았다. 엄마는 엄청나게 찌푸려져 있던 미간을 풀고 은은한 미소와 함께 콧노래를 부르며 집 안 구석구석 청소기를 돌리고 있었다.

"뭐야, 진짜 효과가 있는 거야?"

엄마의 표정을 열심히 살펴보는데 점점 엄마와 청소기는 내 방문 쪽으로 다가왔다. 나는 급하게 책가방에서 책을 꺼내 책상에 앉아 스탠드를 켰다.

벌컥!

"어머! 우리 딸, 공부하고 있었어? 아휴 기특해라~"

엄마는 청소기 전원을 끄고 나에게 다가왔다.

"아! 숙제가 있어서 저녁 먹기 전에 하려고"

"아유~이뻐~ 우리 딸은 역시 엄마를 닮았다니깐~"

엄마는 뒤에서 나를 끌어안아 얼굴을 비비며 말했다.

"그럼! 나는 엄마 딸이잖아."

"그렇지! 그럼 우리 딸 공부 열심히 해! 오늘 저녁은 이솔이가 좋아하는~ "

"돈가스! 앗싸!"

한껏 오버하며 외치는 돈가스 소리에 엄마는 호탕하게 웃으며 청소기를 들고 내 방을 나갔다. 나는 그대로 침대에 풀썩 누워 기쁨 초콜릿 포장지를 꺼내 보았다.

"뭐야? 엄마 기분이 갑자기 좋아졌잖아? 진짜 마음을 바꿔준다고…?"

딸랑!

"헉헉‥ 안녕하세요‥ 헉‥ 아줌마!"

아침에 눈을 떴을 때부터 학교 마칠 때까지 온통 마음 슈퍼 생각만 하다가 끝나자마자 신나게 달려 마음 슈퍼에 도착했다.

"오! 어제의 그 꼬마 손님이네! 기쁨 초콜릿은 엄마 드렸어요?"

뭐야, 어떻게 아는 거야 도대체? 나의 놀란 표정에 또 아주머니는 호탕하게 웃었다.

"아줌마 도대체 어떻게 아시는 거예요?"

나의 진지한 물음에 과자를 정리하던 아주머니는 나를 보았다.

"쉿! 그건 비밀이지~ 영업 비밀을 말하면 쓰나! 그나저나 우리 꼬마 손님은 오늘은 뭘 사러 왔을까나?"

익살스럽게 윙크하며 비밀이라고 말하던 아주머니는 다시 과자 정리를 하였다.

"음… 어제 스마일 사탕을 봤었는데… 혹시 오늘도 있어요?"

나는 문 앞에 있다가 가게 안으로 들어서면서 스마일 사탕을 눈으로 열심히 찾았다. 어제 봤을 때부터 내 마음을 당겼던 스마일 사탕. 그걸 먹으면 운동회 달리기 1등은 무조건 할 수 있을 것 같은 느낌이 들었다.

"스마일 사탕? 당연히 있지!"

아주머니는 진열대 안쪽에서 스마일 사탕 10개가 들어있는 사탕 봉투를 꺼냈다.

"꼬마 손님, 스마일 사탕은 이렇게 세트로만 팔아! 그런데 재료 구하기가 어려워서 다시 만들려면 한참 걸리니깐 아껴서 먹어!"

"네!"

10개라니! 아직 하나도 안 먹어 봤지만, 어제 기쁨 초콜릿을 먹은 엄마를 보면 안다. 이건 진짜다. 나는 이제 사고뭉치 타이틀에서 벗어날 수 있을 것이다!

"얼마예요. 아줌마?"

"나는 돈 안 받는데~꼬마 손님! 대신 마음을 받아야 해!"

"네? 마음을요?"

도대체 무슨 말을 하는 건지 이해가 안 가는 아주머니의 말씀에 갸우뚱하며 다시 물어봤다.

"나는 마음을 파는 마음 슈퍼 주인이잖아? 마음을 받고 마음을 파는 거야"

"그럼 제가 어떻게 하면 돼요?"

"꼬마 손님이 할 일은 간단해! 나랑 손잡은 채로 기억을 떠올리기만 하면 돼"

"어떤 기억이요?"

"음 보자…. 지금 필요한 건 기쁨의 기억이다! 꼬마 손님이 제일 기뻤던 날을 떠올려볼까?"

아주머니는 과자 진열대를 살펴보다가 다시 나를 향해 서서 손을 잡자는 듯이 내 쪽으로 손을 내밀었다. 나는 아주머니의 손을 덥석 잡고 기억을 더듬어보았다. 내가 언제 제일 기뻤더라… 아 그래! 2학년 때 반장선거에서 반장이 되었을 때다. 친구들의 환호 소리와 나를 보며 흐뭇하게 선생님… 2학년 때 반장 되는 순간 정말 나는 돈가스를 평생 안 먹어도 될 만큼 기뻤다. 기억을 떠올릴수록 웃음이 실실 새어 나왔다.

"오호~ 아주 기뻤던 기억이네! 이런 순수한 기쁨, 오랜만이야!"

한참 기억을 더듬던 중 아주머니는 손을 한 번 꼭 잡고 놔주면서 말씀하셨다.

"순수한 우리 꼬마 손님 고마워요!"

"아…네! 그럼 저는 이만 가볼게요. 감사합니다!"

"그래요 조심히 가요! 나도 고마워요."

사탕을 꼭 안고 밖으로 나서는 나를 뒤따라 나오던 주인아주머니는 내가 모퉁이를 돌 때까지 손을 흔들며 배웅을 해주셨다.

"권이솔~~! 오늘도 힘차게 넘어져서 한 번 굴러보지, 그래?"

나를 향해 외치는 유준서의 말을 나는 가볍게 무시하고 열심히 사탕을 먹으며 몸을 풀었다. 사탕이 녹을수록 정말 잘 달릴 수 있겠다는 자신감이 막 솟구친다. 마음 슈퍼에서 스마일 사탕을 산 지 벌써 일주일이 지났다. 시험 삼아 한 번 먹어 본다는 게 효과가 좋아서 매일 하나씩 먹게 되었다. 어떤 효과라고 묻는다면 매일 도발하는 유준서 따위는 하나도 신경이 쓰이지 않는 건 당연, 학교에서 사고를 하나도 치지 않았지. 쪽지 시험도 잘 치고, 학원 테스트도 통과! 이제 남은 건 운동회 에이스다. 일단 오늘도 나는 1등이다!

"준비~ 출발!"

선생님의 신호에 달리기 연습이 시작되었다. 한 발, 한 발 운동장에 닿는 발이 엄청 가볍다. 마치 스케이트를 타듯이 쭉쭉 앞으로 나간다. 너무 기분이 좋아서 더 힘을 줘서 앞으로 달려본다. 지금 내 앞에 보이는 사람은 없다. 결승선이 다가오면서 친구들의 놀란 얼굴들이 보인다.

"권이솔 1등!"

"와아아아! 진짜 빠르다 이솔아!"

도착하자마자 운동장에 누워 숨을 고르는데 친구들이 몰려들었다. 나는 웃음이 나왔다. 역시 사탕의 힘은 대단해. 몸을 일으켜 앉자 선생님이 다가왔다.

"이솔아 정말 대단한데! 운동회 때는 이솔이만 믿으면 되겠어!"

"네! 선생님!"

선생님 말씀을 들으니 더 기분이 째질 거 같았다. 싱글벙글 웃으며 주머니 속 스마일 사탕을 꼭 쥐었다. 사탕은 3개가 남아있었다. 이제 운동회까지 3일 남았으니깐 하루에 하나씩만 먹으면 된다. 나는 이제 진짜 사고뭉치에서 벗어나는 거다.

"야 너 뭐야? 갑자기 왜 그렇게 잘하는 거야? 집에서 몰래 연습하나 보지?"

유준서가 갑자기 나에게 다가오더니 샐쭉거리는 표정으로 이야기했다.

"아니거든~ 원래 잘하는 거거든~"

나는 유준서에게 얼굴을 들이밀며 메롱 하고는 교실로 빠르게 뛰어갔다.

아 정말 통쾌해! 제발 이대로만 쭉 운동회까지 잘 가기를. 하느님 부처님 알라신 마음 슈퍼 아줌마에게 빕니다. 저 꼭 운동회 때 일등하고 싶어요! 3학년 1반의 사고뭉치가 아닌 에이스가 되고 싶어요!

"이야 오늘도 권이솔이 1등이야"

오늘도 역시나 사탕을 먹으며 몸을 풀고 달리기 1등으로 들어오기 성공! 이제 바로 내일이 기다리고 기다리던 운동회다. 마음 슈퍼 아줌마 감사해요. 저는 이제 3학년 1반 에이스예요. 친구들의 응원과 감탄에 으쓱해진 내 어깨는 이대로 정수리까지 솟아오를 거 같다.

"띵동댕동~"

수업 마치는 종소리에 의기양양한 채로 교실로 들어가려고 하는데 윤준서가 나를 잡더니 순식간에 내 주머니에 손을 넣어서 사탕을 빼냈다.

"야! 너 뭐 하는 거야! 빨리 내놔!"

나는 너무 놀라고 당혹스러운 마음에 얼굴이 터져라 소리를 질렀다.

"에계계 이 사탕은 뭐냐? 요즘 매일 뭘 먹길래 뭔가 했네~ 네가 아기냐? 맨날 사탕을 먹고 있어~"

나와 사탕을 번갈아 보며 윤준서는 비아냥거렸다. 어쩐지 요즘 계속 나를 지켜보는 거 같았는데 내가 사탕을 먹는 걸 관찰했나 보다.

"좋은 말로 할 때 내놔라. 빨리 줘!!"

마지막 남은 사탕인데! 진짜 윤준서는 최악이다. 새빨갛게 달아오른 얼굴로 사탕을 뺏으려고 아무리 뛰어봐도 멀대같이 큰 윤준서는 사탕을 쥔 손을 하늘 위로 뻗어 휘휘 저으며 나를 놀려댔다.

"가져가 봐 아기야~ 너 유치원 다시 가야 하는 거 아니야? 매일 사탕이나 먹고~"

아무리 점프해도 닿지를 않는다. 급기야 눈물까지 나서 눈앞이 흐려 잘 보이지도 않는다.

"어!"

점프하다 윤준서와 부딪히면서 사탕이 떨어졌다.

데구루루… 콰직!

마지막 스마일사탕은 걸어오던 선생님 발에 밟혀 깨져버렸다.

"아니 웬 사탕이야. 윤준서! 권이솔! 또 장난치냐?? 이솔이는 요즘 얌전하게 있더니 왜 그러니? 둘 다 빨리 교실로 들어가!"

털썩

오 마이 갓! 다리에 힘이 풀려 나는 그 자리에 주저앉았다. 선생님의 말씀은 귀에서 윙윙 울려 무슨 말인지도 안 들린다. 그냥 나는 이제 끝났다. 운동회 전날에 이게 무슨 날벼락인가. 오만 생각이 다 들면서 눈물이 또르르 볼을 타고 흘렀다.

"야… 권이솔…? 너 울어? 내가 사탕 사다 주면 되잖아. 뭐 이런 사탕 하나 가지고 그러냐? 빨리 일어나"

윤준서는 나를 일으켜 세우며 내 눈치를 살피며 머쓱하게 이야기 하였다.

"그냥 사탕이 아니란 말이야!! 이제 난 어떻게… 흐아아앙"

윤준서의 그냥 사탕이란 말에 나는 눈물이 터져 나왔다. 슬픔 쿠키를 먹으면 이런 기분일까. 자꾸자꾸 눈물이 쏟아져 내린다.

"야야야! 울지 말고… 왜 그냥 사탕이 아닌 건데?"

"몰라! 다 너 때문이야!"

"뭔데 그게 왜? 저 사탕이 뭐길래 그러는 건데?"

"말해주면? 너 나 도와줄 거야?"

"그래! 도와줄게. 도와주면 되잖아."

마지막 스마일 사탕이 깨지면서 내 마음도 와장창 깨져버려 제대로 생각하기가 힘들다. 이런 내 마음도 모르면서 자꾸 도와준다는 윤준서가 진짜 꼴불견인데, 정말 싫은데, 내 마음을 터놓고 싶다는 생각이 들었다.

"너 내가 하는 말 잘 들어. 학교에서 우리 아파트에 가는 길목에 있는 마음 슈퍼 본 적 있어?"

"마음 슈퍼?"

아무리 터놓고 싶은 생각이 들어도 얘한테 얘기하는 게 맞는 건지 모르겠지만 에이 모르겠다. 나 혼자 생각하기엔 머리가 펑 하고 터질 것만 같으니. 나는 윤준서에게 마음 슈퍼에서 있었던 일을 쭉 이야기하였다.

"뭐? 마음 슈퍼? 스마일 사탕? 야 그런 게 어디 있냐? 너 진짜… 으하하하하"

"아니라고, 진짜라고!"

믿어주지 않을 거라고 생각했지만 진짜 믿어주지 않아 더 속상한 마음에 눈물을 머금고 소리쳤다.

"알았어, 알았어. 그럼 학교 끝나고 같이 한 번 가보자. 다시 사면 되잖아?"

윤준서의 말에 눈이 번뜩 띄었다. 그래! 다시 가면 되지. 다시 사면 돼! 이렇게 간단한 걸 나는 왜 윤준서 앞에서 울고불고 난리를 쳤을까? 나를 보면서 이상하게 웃는 윤준서 얼굴을 보니 몸에 애벌레가 기어 다니는 듯이 간지러웠다.

"야! 권이솔! 천천히 가!"

1분이 1시간 같던 수업 시간이 다 끝나고 나는 냅다 달려 마음 슈퍼로 향했다. 내가 달리니 윤준서도 같이 따라 달려 마음 슈퍼 앞에 동시에 도착했다.

"봐봐! 내가 있다 했지?"

"어? 근데 close 팻말이 걸려있는데?"

"뭐?"

너무 뛰어와서 무릎을 짚고 숨을 고르다가 윤준서의 말에 고개를 팍 들어 문을 흔들어보았다. 열리지 않는다.

"뭐야! 아줌마! 아줌마! 안에 계세요?"

문을 흔들고 소리를 질러봐도 조용하다. 아무리 기웃거려 봤자 불투명한 유리만 보인다. 멀대같은 윤준서는 가게 안이 보이는 듯 자세히 들여다보더니 고개를 젓는다. 나는 문 앞에 기대어 있다가 스르륵 주저앉아 머리를 감쌌다.

"하…. 어떡해…."

고개를 푹 숙여 바닥을 보는데 쪽지 한 장이 떨어져 있었다.

혹시나 올 수도 있는 꼬마 손님!

스마일 사탕은 잘 먹고 있나요? 내가 없는 동안 올 거 같아서 쪽지 남겨요! 요즘 말이야 사람들이 낭만이 없어~ 기쁘고 행복한 마음이 다 떨어졌는데 여기선 구할 수 없어서 나는 잠시 떠납니다. 다음에 와줘요! 미안~

p.s. 꼬마 손님에게는 더 이상의 스마일사탕은 필요하지 않을 텐데··· 친구 탓 그만하고 자신을 스스로 더 믿어봐요!

이게 뭐람… 나를 더 믿으라고? 그게 어떻게 되겠어! 괜히 아껴먹으라는 게 아니었어. 정말 망했다. 내가 쪽지를 다 읽고도 아무 말이 없으니 윤준서가 옆에서 계속 내 눈치를 보며 말을 꺼냈다.

"왜? 못 산데?"

"어! 없데! 다 팔렸데! 고맙다! 네 덕분에 우리 반은 달리기 1등 못해. 나는 계속 사고뭉치고!"

아씨, 자꾸 불똥은 윤준서에게 튄다. 이렇게 말하려 했던 게 아닌데… 더 막막해진 마음에 앞에 있는 윤준서에게 가시 돋친 말이 나왔다. 윤준서 때문은 맞잖아! 근데 아줌마가 친구 탓하지 말라 했는데… 아! 몰라! 머리를 막 헝클어뜨리며 앉아있는 나를 가만히 보던 윤준서는 작은 소리를 내게 말했다.

"그깟 사탕이 뭐라고… "

"뭐?"

예상치 못한 말에 말문이 턱 막혔다. 뭐야 얘 도와줄 거처럼 하더니 속으로 계속 내 말을 안 믿었어. 진짜 나쁜 놈이야!

"야 윤준… "

"아니! 너 생각해봐 2학년 때 운동회날 뭐 했었냐?"

내가 막 소리를 지르던 찰나 윤준서가 갑자기 2학년 때 얘기를 꺼냈다. 2학년 때라 반장 했었고, 운동회 때는…

"뭐야 갑자기… 달리기 대표했었지 아마?"

"1학년 땐?"

"1학년 때… 도 달리기 대표했었지."

내가 의아한 듯이 대답하니깐 윤준서는 혼자 팔짱을 낀 채로 답답한 듯이 미간을 찌푸리고 나를 내려다보았다.

"야 권이솔 내가 인정하기 싫지만 너 엄청나게 달리기 잘해. 너도 알잖아. 근데 왜 사탕을 못 먹으면 아예 달릴 수 없는 것처럼 그러냐?"

"아니 저번에도 넘어졌고… "

준서의 말에 반박하려는데 생각해보니 나는 원래 달리기 대표를 많이 했었다. 계속 일등도 했었다. 넘어진 거는 3학년 첫 연습 날 딱 한 번.

"그래 넘어진 건 맞는데! 그땐 내가 너 열받게 했었잖아…."

준서는 민망한 듯이 발로 바닥을 툭툭 치면서 이야기했다.

"맞아·· 네가 놀려서 넘어졌지… 달리기를 잘하면 뭐 하나? 넘어지면 끝이야."

준서의 발에 튕겨 나가는 작은 돌멩이들을 보며 나는 작게 중얼거렸다. 그래 달리기를 잘하면 무슨 소용인가. 넘어지면 끝인데…

우울해진 채로 돌멩이들을 계속 보는 데 준서의 발이 멈췄다. 아차! 또 준서 탓을 해버렸다. 눈치가 보여 천천히 올려다보니 고민하는 준서의 얼굴이 보였다.

"야 여기 잠깐만 있어. 3분만… 아니 5분만!"

준서는 갑자기 기다리라는 말과 함께 다급하게 뛰어갔다. 황당한 나는 마음 슈퍼 앞에서 앉아서 어느새 노을 진 하늘을 바라보았다. 준서는 어디로 뛰어간 거야… 에이 모르겠다. 아줌마 말대로 나를 믿어봐? 난 원래 달리기 잘했으니깐? 근데 또 준서가 내일 놀리면 어떡하지? 지금은 잘해줘도 또 내일 놀릴 수도 있잖아. 그리고 나 또 넘어지면? 그럼 나는 진짜 4학년 돼서도 사고뭉치가 되는 거 아니야? 시간이 흐를수록 수많은 생각들이 구름처럼 내 머리 위를 둥둥 떠다닌다. 구름처럼 떠다니던 생각들은 먹구름이 되어 내 머리 위에서 비를 내리고 내 눈에서는 또 눈물이 줄줄 흘러내린다.

"진짜 다 끝났어… "

무릎에 고개를 파묻고 있는데 준서의 목소리가 들렸다.

"권~이~솔~!"

뭐야 울지도 못하게 벌써 오는 거야? 준서는 검은 봉지를 흔들며 내가 있는 쪽으로 뛰어오고 있었다. 또 운 걸 보면 놀리겠지. 나는 재빠르게 눈물을 닦고 뛰어오는 준서를 바라보았다.

"야 왜 기다리게 해! 빨리 집에나 갈 것이지!"

"자!"

또다시 가시 돋친 말을 하는 나에게 준서는 봉지를 내밀었다.

"이게 뭐야?"

봉지를 보며 떨떠름하게 묻는 나에게 다시 한번 내밀며 준서는 또 이상하게 웃었다.

윽… 또 애벌레가 기어 다니는 거 같다. 몸을 막 긁으며 봉지를 낚아채서 열어보았다.

"어때? 어디에서도 못 사는 대박 사탕!"

열어본 봉지 안에는 껍질에 웃는 표정이 그려져 있는 사탕들이 수북하게 있었다. 자세히 보니 사탕 껍질에 그려진 표정이 다 다르다. 봉지 한 번, 준서 한 번 번갈아 보았다. 준서의 바지 주머니에는 매직이 꽂혀있다. 이제는 몸이 더 간지럽다 못해 볼까지 간지럽다.

"야 이거 먹고 뛰면 대박 빨라져. 내가 아까 하나 먹고 뛰어봤거든? 봤지? 나 엄청나게 빨리 뛰어오는 거! 이거 먹으면 넘어지지도 않거든? 내일 하나 먹어 보면… "

온몸을 휘저으면서 빠르게 이야기하는 준서를 보니 귀까지 간지러운데다가 웃음이 자꾸 나왔다. 우정 젤리를 먹으면 이런 기분일까?

계속 쉴 새 없이 이야기하는 준서의 이야기를 들으며 엉덩이를 털고 일어났다. 그리고는 대박 사탕 한 개를 까서 입에 넣고 냅다 준서를 지나쳐 달렸다.

"어? 야! 권이솔! 거기 서!"

당황한 준서가 쫓아오는 데 그저 웃음만 나온다. 뛰다 보니 스마일 사탕 먹었을 때처럼 발이 몹시 가볍다. 조금 다른 점은 넘어질까 봐 두렵지 않다. 그저 간지러운 웃음만 난다. 그리고 왠지 이 대박 사탕은 내일 먹지 않아도 될 것 같다는 생각이 든다.

아니 안 먹을 거다!

무지개 한 스푼

발행 2024년 5월 10일
지은이 김도경, 오지연, 박세리, 강민정, 지수, 강윤정, 문승현, 이하루, 나우리, 권혜원
라이팅리더 김세실
디자인 전혜민
펴낸이 정원우
펴낸곳 글ego
출판등록 2019.06.21 (제2019-000227호)
주소 서울특별시 강남구 강남대로 118길 24 3층
이메일 writing4ego@gmail.com
홈페이지 http://egowriting.com
인스타그램 @egowriting

ISBN 979-11-6666-479-3